PAPILLES
POUR TOUS !

François **CHARTIER**

PAPILLES
POUR TOUS !

Cuisine aromatique
d'hiver

Directrice de l'édition : Martine Pelletier
Auteur : François Chartier
Idée originale et collaboration à la recherche : Carole Salicco
Collaborateur principal au développement, à la réalisation
et à la rédaction des recettes : Stéphane Modat
Assistante à la rédaction des recettes : Nicole Henri
Révision linguistique et correction : Nicole Henri
Conception graphique et mise en page : cyclone design.ca
Photo de la couverture : Xavier Dachez

Dépôt légal
Bibliothèque et Archives nationales du Québec, 2011
Bibliothèque et Archives nationales du Canada, 2011
4e trimestre 2011
978-2-923681-98-6
Imprimé au Québec, Canada

LES ÉDITIONS
LA PRESSE

Présidente
Caroline Jamet

Les Éditions La Presse
7, rue Saint-Jacques
Montréal (Québec)
H2Y 1K9

L'éditeur bénéficie du soutien de la Société de développement des entreprises culturelles
du Québec (SODEC) pour son programme d'édition et pour ses activités de promotion.

L'éditeur remercie le gouvernement du Québec de l'aide financière accordée à l'édition
de cet ouvrage par l'entremise du Programme de crédit d'impôt pour l'édition de livres,
administré par la SODEC.

Nous reconnaissons l'aide financière du gouvernement du Canada par l'entremise
du Programme d'aide au développement de l'industrie de l'édition (PADIÉ)
pour nos activités d'édition.

Table des matières

➔ Introduction

Après vous avoir présenté notre cuisine aromatique d'Automne, qui est le premier volume de cette collection qui se décline en quatre saisons, voici maintenant au tour de notre cuisine aromatique en mode « Hiver ».

L'idée est simple : réinventer vos repas hivernaux de tous les jours en métamorphosant les recettes classiques de votre quotidien, grâce à la synergie aromatique entre de nouveaux aliments complémentaires, sans oublier des suggestions d'harmonies vins, bières, sakés, etc., avec chaque recette et à la portée de tous !

Voilà ce que vous propose cette toute nouvelle collection, *Papilles pour tous !*, chaque ouvrage offrant plus ou moins 200 recettes. Ces recettes sont accessibles à tous, tant par le prix et la disponibilité des aliments dans tous les grands marchés d'alimentation que par la facilité déconcertante de leur exécution !

VRAIMENT ?

Prenons l'exemple de la crème caramel, dont la saveur dominante est la même qui signe aussi la cannelle et la vanille, ainsi que le gingembre, le cacao, le girofle, l'orange, le thé fumé, le madère, le xérès oloroso et le scotch. Tout en demeurant dans votre zone de confort – la recette de base classique de crème caramel est connue de tous ! –, nous vous proposons quinze nouvelles versions de crème caramel aromatisée autour des aliments complémentaires à la cannelle et à la vanille.

MAIS ENCORE ?

Sur la piste aromatique de l'osso buco, il y a les graines de coriandre, l'orange, la fleur d'oranger, la lavande et le chocolat. Tous partagent le même profil aromatique que ce plat mijoté de la cuisine italienne. Il suffit d'utiliser ces ingrédients pour aromatiser l'osso buco et ainsi lui donner une nouvelle tonalité aromatique qui se mariera à la perfection aux vins recommandés. Nous vous en proposons

quatre versions simplissimes et gourmandes à souhait !

Afin de rendre cette collection en quatre volumes aussi accessible que les aliments qui ont servi de canevas à nos recettes, j'ai opté pour un format facile à utiliser en cuisine, sans photo, et ainsi permettre une mise en marché à un prix la moitié moins élevé que pour la grande majorité des livres de recettes. Ici, l'idée de photos ne s'imposait pas de toute façon, puisque les recettes sont en grande partie inspirées de recettes que vous connaissez déjà. Donc un livre « vintage ». Un clin d'œil aux livres fondateurs d'une autre époque, comme *La cuisine raisonnée* et *L'Encyclopédie de la cuisine* de Jehane Benoit.

Enfin, sachez qu'avec ce livre, tout comme avec le précédent, l'Automne, et les deux autres tomes à venir au fil des saisons, vous serez à l'avant-garde de mes nouvelles recherches aromatiques sur les aliments et les vins. Les résultats de mes recherches seront décrits de façon plus détaillée dans le tome II de *Papilles et Molécules – La science aromatique des aliments et des vins*, à paraître en 2012.

L'HISTOIRE AROMATIQUE DE *PAPILLES POUR TOUS !*

Il y a maintenant plus de deux ans que j'ai publié *Papilles et Molécules – La science aromatique des aliments et des vins*, ayant remporté le prestigieux prix du *Meilleur livre de cuisine au monde*, toutes langues confondues, catégorie innovation, au *Gourmand World Cookbook Awards 2010* à Paris. Son succès auprès du grand public ne se dément pas avec le temps, toujours dans la liste de best-sellers.

Taste Buds and Molecules, sa version anglaise, est parue au Canada anglais à l'automne 2010, et les droits internationaux ont aussi été vendus aux États-Unis, en Russie et en Hongrie (pour publication en 2012). Le livre aura également donné naissance à l'émission de cuisine aromatique *Papilles*, diffusée chaque semaine sur les ondes de Télé-Québec dès janvier 2012.

Fort de ce succès et de celui remporté par *Les recettes de Papilles et Molécules*, paru en juin 2011, cette fois avec mon complice Stéphane Modat, et inspiré par les idées de recettes lancées dans *Papilles et Molécules*, je vous propose maintenant cette toute nouvelle collection, *Papilles pour tous !*, une cuisine aromatique pour chacune des saisons.

Une collection qui adapte des recettes « classiques » du quotidien à la sauce « Chartier », assisté de Stéphane Modat. Grâce aux pistes aromatiques, ces simples recettes deviennent des plats harmoniques en un tournemain. Depuis le début janvier 2011, Stéphane et moi travaillons intensément à analyser et à sélectionner les recettes du quotidien, puis à les aromatiser par les pistes aromatiques de mes recherches sur la structure des composés volatils des aliments.

Enfin, l'analyse des vins et autres boissons harmoniques est aussi passée sous mon « scan » afin de vous donner les pistes harmoniques les plus justes qui soient, avec chaque recette et chaque version.

POURQUOI *PAPILLES POUR TOUS !*?

Pourquoi vouloir rafraîchir la cuisine quotidienne par le principe d'harmonies aromatiques ?

La première raison s'est imposée d'elle-même. Depuis que j'ai développé ce principe, tiré de cette nouvelle science que j'ai nommée « harmonies et sommellerie moléculaires », tant pour la création en cuisine que pour l'harmonie de cette dernière avec les vins et autres boissons, j'ai su que les résultats de mes recherches alimentaires devaient être accessibles à tous, aussi bien dans la cuisine dite gastronomique que dans celle de tous les jours.

Au départ, mes recherches visaient la compréhension scientifique de l'harmonie vins et mets. Or, à ma grande surprise, elles m'ont permis de mieux comprendre les aliments, en découvrant leur structure aromatique et les arômes qui donnent leur saveur, leur signature identitaire.

Ce travail harmonique propose donc un double emploi. D'un côté, une lumière plus juste sur l'harmonie vins et mets; de l'autre, de nouveaux chemins de créativité en cuisine par l'harmonie des arômes des aliments de même profil aromatique, tout en étant accessible aux

chefs comme aux cuisiniers maison de nos repas au quotidien.

Une tomate restera toujours une tomate avec sa saveur intrinsèque, peu importe qui la cuisine. Si je vous dis, grâce à mes recherches aromatiques, que le melon d'eau, le pamplemousse rose et le paprika partagent le même profil que la tomate, vous pouvez tous profiter de ces données.

Un grand chef créera un plat en utilisant ses techniques et son expérience. Mais si vous êtes, comme la majorité de la population, une personne dont l'activité principale n'est pas de cuisiner, mais qui doit le faire pour se nourrir et, je l'espère, pour ses petits plaisirs, il vous sera alors possible de concocter une salade de tomates et melon d'eau, arrosée d'une vinaigrette au jus de pamplemousse rose et paprika, qui aura le même gène de saveur que la recette transformée par le grand chef. Et cela, vous tous pouvez le faire.

La deuxième raison de cette idée de recettes pour tous est en partie liée à un passage d'un texte écrit en marge du colloque « Lectures du patrimoine alimentaire : pour une étude de la gastronomie québécoise » par Geneviève Sicotte (professeure de littérature à l'Université Concordia, coresponsable du colloque) en mai 2011, qui traduit l'état actuel des lieux, et qui m'a une fois de plus convaincu que j'étais, avec mon complice Stéphane Modat, sur la bonne voie :

« D'un côté, on s'approprie le patrimoine culinaire, mais, d'un autre, la cuisine est de moins en moins accessible. Certaines émissions présentent des recettes compliquées où le temps est compté. D'autres nécessitent toute une batterie de matériel hyperspécialisé et coûteux. Cela ne donne pas envie de cuisiner. »

Avec cette collection, j'entends donc, avec l'aide de Stéphane Modat, humblement, mettre en valeur les repas du quotidien, tant le lunch que l'apéritif, le souper, le déjeuner et le brunch, tout en magnifiant le plaisir de les imaginer, de les transformer, de les préparer et, bien sûr, de les déguster. Je vous le dis, plus que jamais, *Papilles pour tous !*

François Chartier
www.papillesetmolecules.com

François Chartier

Photo : Télé-Québec

Grâce à ses recherches novatrices en cuisine, le sommelier-chercheur-cuisinier de réputation internationale, François Chartier, est aujourd'hui considéré comme l'une des têtes chercheuses en matière de création de recettes. De 2008 à 2011, il a agi à titre de consultant à la création de plats auprès du chef Ferran Adrià, du célèbre restaurant espagnol elBulli. Les premiers résultats de ses recherches, qu'il mène depuis 2006 au Québec et en Europe, en «harmonies et sommellerie aromatiques», discipline dont il est l'auteur, ont été publiés dans le tome I du livre à succès *Papilles et Molécules,* qui a reçu en février 2010, à Paris, le prestigieux prix du Meilleur livre de cuisine au monde, catégorie innovation. La version anglaise, *Taste Buds and Molecules,* a été publiée au Canada anglais la même année, et le sera en 2012 aux États-Unis. Les droits de traduction ont également été vendus à la Hongrie et à la Russie. Il a aussi publié les livres de recettes à succès *À table avec François Chartier* et *Les recettes de Papilles et Molécules,* ce dernier en collaboration avec le chef Stéphane Modat, avec qui il signe cet ouvrage *Papilles pour tous !* Auteur de *La Sélection Chartier* depuis 16 ans, il donne rendez-vous tous les samedis, depuis 2002, aux lecteurs de la chronique HARMONIES cuisine et vins dans le quotidien La Presse. À compter de janvier 2012, le duo Chartier/Modat animera la nouvelle émission *Papilles*, à la télévision de Télé-Québec. Enfin, le site Internet *www.papillesetmolecules.com* vient compléter la fabuleuse histoire de *Papilles et Molécules !*

Stéphane Modat

Photo : xDachez

Le chef Stéphane Modat, établi au Québec depuis 11 ans, est originaire de Perpignan en France, et l'un des grands chefs de sa génération. Il a déjà été aux fourneaux du prestigieux restaurant Le Jardin des Sens à Montpellier, triple étoilé Michelin des illustres frères Pourcel. À Québec, Stéphane était le chef et le cofondateur du réputé restaurant Utopie, ouvert en 2004, qui a fermé ses portes à l'automne 2009. Depuis l'automne 2009, Stéphane a aussi pris le temps de se ressourcer en explorant les univers gastronomiques qu'offrent Hong Kong et Séoul, ainsi que le Japon et le Maroc, et il se consacre à temps plein aux travaux de création aromatique avec François Chartier, avec qui il a publié, en mai 2010, *Les recettes de Papilles et Molécules,* et avec qui il coanimera la nouvelle émission de télévision *Papilles*, en onde à Télé-Québec dès janvier 2012. **www.stephanemodat.com**

Comment utiliser
Papilles pour tous!

Notez qu'à partir des ingrédients complémentaires aux aliments dominants dans chacune des recettes, dont vous trouverez les pistes plus détaillées dans le volume I de ***Papilles et Molécules***, ainsi que dans le volume II, à venir au milieu de l'année 2012, vous pourrez aussi transformer ces recettes comme bon vous semble. L'important est de choisir des aliments de même famille aromatique afin que la synergie aromatique opère entre les ingrédients.

Les recettes de ce livre ont toutes été prévues pour 4 personnes.

INGRÉDIENTS COMPLÉMENTAIRES DOMINANTS

Aliments/ingrédients de même famille aromatique que l'ingrédient dominant dans la recette proposée.

ASTUCE AROMATIQUE

Piste aromatique à suivre pour transformer cette recette, ainsi que d'autres possibilités de pistes.

PISTES HARMONIQUES DES LIQUIDES

Propositions de vins et autres liquides/boissons afin d'atteindre la zone de confort harmonique avec facilité.

➜ Remerciements de l'auteur

À MA CONJOINTE, Carole Salicco, merci d'avoir eu l'idée de cette collection en quatre saisons, accessible à tous, en plus d'être là à tous les instants, au-dessus de mes petites épaules... Tu avais eu l'idée de *La Sélection Chartier*, il y a 16 ans déjà, et voilà qu'une deuxième idée forte a germé en toi, qui prend forme et fera, j'en suis convaincu, le bonheur des lecteurs qui nous suivent depuis toutes ces années.

Cette collection en quatre saisons n'aurait pas été possible sans l'amitié et l'étroite complicité du chef Stéphane Modat, à qui j'ai communiqué mes idées de recettes et qu'il a su transformer avec maestria grâce à mes pistes aromatiques. Tu possédais déjà ton style singulier et ton chemin de créativité unique. D'avoir ajouté à ton arc mes pistes aromatiques me touche profondément. Longue vie à notre duo Mc²!

À Nicole Henri, après plus de dix ans de loyaux services de révision linguistique (!), ta complicité va bien au-delà de la chose... Merci, entre autres, de nous avoir remis, Stéphane et moi, sur les bonnes pistes arithmétiques des conversions!

À Ferran Adrià et Juli Soler du restaurant elBulli, ainsi qu'à l'œnologue Pascal Chatonnet et au docteur en biologie moléculaire Martin Loignon, merci d'avoir été si présents et si généreux de vos expertises respectives, depuis 2006, lors des premières heures de mise en chantier du projet *Papilles et Molécules*.

À mon ami Alain Labonté, qui a le fardeau d'être à la fois mon relationniste et mon agent... merci aussi d'être là quand ça compte, que dis-je, de ta disponibilité vingt-quatre heures sur vingt-quatre (!), et d'avoir un œil avisé sur le visuel de cette collection, tout comme sur sa mise en marché.

Enfin, à l'équipe des Éditions La Presse, à commencer par Martine Pelletier, directrice de l'édition, et Delphine Kermoyan, éditrice déléguée, merci de vos conseils avisés et de votre précieux temps – et heures supplémentaires! Quant à Caroline Jamet, présidente des Éditions La Presse, merci d'avoir accepté ce projet en cours de route et d'apporter ton expérience aux succès de cette nouvelle collection.

Les
recettes

BERGAMOTE/GENIÈVRE/LAURIER/ROMARIN

 # BRANDADE DE MORUE SALÉE EN MODE LAURIER

ASTUCE AROMATIQUE

Pour nos trois versions de brandade, nous avons remplacé certains ingrédients, question de donner à chacune d'elles une piste aromatique où la synergie opère entre les aliments cuisinés. Ici, nous sommes dans la ligne de tir du laurier et de ses aliments complémentaires : romarin, genièvre, bergamote, citron.

INGRÉDIENTS

500 g (1 lb) de morue salée
1 tête d'ail
Huile d'olive
2 branches de romarin
5 ml (1 c. à thé) de baies de genièvre concassées
2 feuilles de laurier
½ citron
500 g (1 lb) de pommes de terre, brossées
1 sachet de thé Earl Grey à la bergamote
Sel (au besoin)
Chapelure

PRÉPARATION

1. Déposer la morue salée dans un grand bol et couvrir d'eau froide. Laisser tremper de 24 à 36 heures au réfrigérateur, en changeant l'eau régulièrement. (Le temps de dessalage varie selon la morue.)

2. Dans une petite casserole, déposer les gousses d'ail épluchées, les recouvrir d'huile d'olive et faire frémir à feu doux jusqu'à ce qu'elles soient tendres.

3. Dans une grande casserole, préparer le bouillon, qui servira à cuire la morue. Verser de l'eau froide et ajouter le romarin, les baies de genièvre, une feuille de laurier et le ½ citron. Porter à ébullition.

4. Dans une autre grande casserole, placer les pommes de terre, le sachet de thé et l'autre feuille de laurier, et recouvrir d'eau. Faire cuire à très petits bouillons. (La cuisson avec la peau empêche les pommes de terre de se fendre et de se gorger d'eau.)

5. Plonger la morue dans le court-bouillon bouillant. Laisser cuire à feu éteint.

6. Éplucher les pommes de terre. Avec un pilon, les réduire en purée avec l'ail.

7. Avec une écumoire, retirer la morue cuite du court-bouillon et la mélanger à la purée en y ajoutant l'huile de cuisson de l'ail. Rectifier l'assaisonnement.

8. Verser la préparation dans un plat allant au four. Parsemer de chapelure et ajouter un filet d'huile d'olive. Passer rapidement sous le gril avant de servir.

TAPAS ET ENTRÉES

PISTES HARMONIQUES DES LIQUIDES

Le laurier et ses aliments complémentaires nous conduisent sur la piste aromatique des vins de riesling et de muscat, ainsi que sur celle des bières de type india pale ale et des thés verts sencha.

BRANDADE DE MORUE SALÉE EN MODE ROMARIN

ASTUCE AROMATIQUE

Question de jouer sur l'identité aromatique du bouquet garni habituellement utilisé dans ce classique, comme nous l'avons fait dans nos deux autres versions, nous avons ici remplacé le persil plat par le romarin.

INGRÉDIENTS

500 g (1 lb) de morue salée
1 tête d'ail
Huile d'olive
2 branches de romarin
500 g (1 lb) de pommes de terre, brossées
Sel (au besoin)
Chapelure

PRÉPARATION

1. Déposer la morue salée dans un grand bol et couvrir d'eau froide. Laisser tremper de 24 à 36 heures au réfrigérateur, en changeant l'eau régulièrement. (Le temps de dessalage varie selon la morue choisie.)

2. Dans une petite casserole, placer les gousses d'ail épluchées, les recouvrir d'huile d'olive et faire frémir à feu doux jusqu'à ce qu'elles soient tendres.

3. Dans une grande casserole, verser de l'eau froide et ajouter le romarin. Porter à ébullition.

4. Dans une autre grande casserole, placer les pommes de terre brossées et les recouvrir d'eau. Faire cuire à très petits bouillons. (La cuisson avec la peau empêche les pommes de terre de se fendre et de se gorger d'eau.)

5. Plonger la morue dans le court-bouillon bouillant. Laisser cuire à feu éteint.

6. Éplucher les pommes de terre. Avec un pilon, les réduire en purée avec l'ail.

7. Avec une écumoire, retirer la morue cuite du court-bouillon et la mélanger à la purée en y ajoutant l'huile de cuisson de l'ail. Rectifier l'assaisonnement.

8. Verser la préparation dans un plat allant au four. Parsemer de chapelure et ajouter un filet d'huile d'olive. Passer rapidement sous le gril avant de servir.

PISTES HARMONIQUES DES LIQUIDES

Mêmes pistes que celles du laurier, donc optez soit pour un riesling, un muscat, une bière de type india pale ale ou pour un thé vert sencha.

ANIS ÉTOILÉ/ESTRAGON/GRAINES DE CERFEUIL

BRANDADE DE MORUE SALÉE EN MODE ANISÉ

ASTUCE AROMATIQUE

Partant de l'identité du bouquet garni dominé habituellement par le persil, ici nous l'avons transformé par des aliments anisés tels l'anis étoilé, l'estragon et les graines de cerfeuil. Une multitude d'autres herbes et épices de la famille des anisés auraient aussi leur place dans cette version. À vous de choisir !

INGRÉDIENTS

500 g (1 lb) de morue salée
1 tête d'ail
Huile d'olive
2 carottes jaunes, épluchées
5 ml (1 c. à thé) de graines de cerfeuil
2 branches d'estragon
500 g (1 lb) de pommes de terre, brossées
2 étoiles de badiane (anis étoilé)
Sel (au besoin)
Chapelure

PRÉPARATION

1. Déposer la morue salée dans un grand bol et couvrir d'eau froide. Laisser tremper de 24 à 36 heures au réfrigérateur, en changeant l'eau régulièrement. (Le temps de dessalage varie selon la morue.)

2. Dans une petite casserole, déposer les gousses d'ail épluchées, les recouvrir d'huile d'olive et faire frémir à feu doux jusqu'à ce qu'elles soient tendres.

3. Dans une grande casserole, verser de l'eau froide, ajouter les carottes jaunes, les graines de cerfeuil et l'estragon. Porter à ébullition.

4. Dans une autre grande casserole, déposer les pommes de terre et les étoiles de badiane, et recouvrir d'eau. Faire cuire à très petits bouillons. (La cuisson avec la peau empêche les pommes de terre de se fendre et de se gorger d'eau.

5. Plonger la morue dans le court-bouillon bouillant. Laisser cuire à feu éteint.

6. Éplucher les pommes de terre. Avec un pilon, réduire les pommes de terre et l'ail en purée.

7. Avec une écumoire, retirer la morue cuite du court-bouillon et la mélanger à la purée en y ajoutant l'huile de cuisson de l'ail. Rectifier l'assaisonnement.

8. Verser la préparation dans un plat allant au four. Parsemer de chapelure et ajouter un filet d'huile d'olive. Passer rapidement sous le gril avant de servir.

PISTES HARMONIQUES DES LIQUIDES

Comme nous sommes ici en mode anisé, il faut servir des vins blancs de sauvignon blanc, tout comme des cépages complémentaires à ce dernier (verdejo/romorantin/grüner veltliner/greco di Tufo/garganega/vermentino).

BASILIC/CITRON VERT/WASABI

CÉLERI RÉMOULADE EN MODE ANISÉ ET AU « GOÛT DE FROID »

ASTUCE AROMATIQUE

Comme le céleri-rave de ce grand classique français fait partie à la fois des aliments à goût anisé et au « goût de froid » (induisant une sensation de fraîcheur en bouche, comme c'est le cas pour la menthe, par exemple), nous nous sommes amusés à renforcer cette synergie en ajoutant le trio basilic/citron vert/wasabi. Notez que vous pourriez aussi prendre d'autres légumes-racines (car ils sont tous dans la famille des aliments à goût anisé) pour en faire des versions panais rémoulade; racine de persil rémoulade; rabiole rémoulade... Ou encore conserver le céleri-rave original, mais venir y inclure un ingrédient à goût anisé, comme l'estragon, le cerfeuil, le persil, le carvi ou le fenouil. C'est ça, la synergie aromatique de *Papilles !*).

INGRÉDIENTS

1 céleri-rave de taille moyenne, finement râpé
Jus d'un demi-citron vert
1 jaune d'œuf
15 ml (1 c. à soupe) de moutarde de Dijon
250 ml (1 tasse) d'huile de canola
15 ml (1 c. à soupe) de vinaigre
60 ml (¼ de tasse) de feuilles de basilic* frais, hachées
Wasabi
Sel

PRÉPARATION

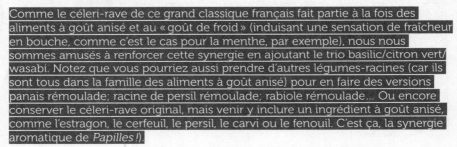

1. Arroser le céleri-rave avec le jus de citron vert pour qu'il ne s'oxyde pas.
2. **Sauce rémoulade.** Mettre le jaune d'œuf et la moutarde dans un cul de poule et fouetter en incorporant l'huile en petit filet, comme pour une mayonnaise. Assaisonner.
3. Ajouter le vinaigre, les feuilles de basilic et un peu de wasabi pour relever le tout.
4. Verser la sauce rémoulade sur le céleri-rave et mélanger.

5. Rectifier l'assaisonnement et réserver au réfrigérateur pendant au moins
   2 heures avant de déguster.

*Vous pouvez remplacer le basilic par 2,5 ml (½ c. à thé) d'anis étoilé moulu ou
de graines de fenouil concassées, de graines de cerfeuil, ou simplement opter
pour une autre herbe, dans les mêmes quantités : aneth, feuilles de livèche,
coriandre.

PISTES HARMONIQUES DES LIQUIDES

Qui dit aliments à goût anisé et/ou à « goût de froid » dit vins de cépage
sauvignon blanc, tout comme de cépages complémentaires à ce dernier :
verdejo, grüner velliner, romorantin, chenin blanc, greco di Tufo, gavi. Vous
voulez boire rouge ? Qu'à cela ne tienne et servez une syrah, elle aussi dans
l'univers des anisés).

CÉLERI RÉMOULADE EN MODE ANISÉ À L'ESTRAGON

ASTUCE AROMATIQUE

Comme je vous l'explique en détail dans la précédente recette de céleri
rémoulade en mode anisé, l'estragon est l'un des nombreux ingrédients à goût
anisé dans la même famille que le céleri-rave. D'où la synergie aromatique qui
crée « recette » !

INGRÉDIENTS

1 céleri-rave de taille moyenne, finement râpé
1 jaune d'œuf
15 ml (1 c. à soupe) de moutarde de Dijon
250 ml (1 tasse) d'huile de canola
15 ml (1 c. à soupe) de vinaigre à l'estragon
Jus d'un demi-citron vert
60 ml (¼ de tasse) de feuilles d'estragon frais, hachées
Wasabi
Sel

PRÉPARATION

1. Arroser le céleri-rave avec le jus de citron pour qu'il ne s'oxyde pas.
2. **Sauce rémoulade.** Mettre le jaune d'œuf et la moutarde dans un cul de poule
   et fouetter en incorporant l'huile en petit filet, comme pour une mayonnaise.
   Assaisonner.
3. Ajouter le vinaigre, les feuilles d'estragon et un peu de wasabi pour relever
   le tout.
4. Verser la sauce rémoulade sur le céleri-rave et mélanger.

5. Rectifier l'assaisonnement et réserver au réfrigérateur pendant au moins 2 heures avant de déguster.

PISTES HARMONIQUES DES LIQUIDES

Exactement les mêmes propositions qu'à la précédente recette de céleri rémoulade en mode anisé (voir page 21).

GRAINES DE CORIANDRE/ORANGE

 # DALH AUX LENTILLES À L'ORANGE ET GRAINES DE CORIANDRE «EN TREMPETTE»

 ### ASTUCE AROMATIQUE

Ici, comme nous utilisons la graine de coriandre au lieu de la coriandre fraîche, comme c'est le cas dans notre autre version de dalh (voir recette suivante), nous avons retiré le classique cumin, ce dernier n'étant pas dans la même famille aromatique que la graine de coriandre, qui, elle, est très différente de la feuille. Pour augmenter la vibration aromatique, nous avons ajouté des zestes d'orange, qui vibrent sur la même tonalité que la graine de coriandre.

INGRÉDIENTS

225 g (½ lb) de lentilles orange
10 ml (2 c. à thé) de graines de coriandre
15 ml (1 c. à soupe) d'huile d'olive
1 oignon jaune, haché grossièrement
3 gousses d'ail, hachées grossièrement
4 tomates fraîches et mûres, en dés
1 carotte, en gros morceaux
2,5 litres (10 tasses) d'eau
Zestes d'une demi-orange non traitée
Sel de mer et poivre du moulin

PRÉPARATION

1. Dans une passoire, rincer les lentilles à l'eau froide. Réserver.
2. Dans une grande casserole munie d'un couvercle, faire revenir les graines de coriandre dans l'huile pendant 2 minutes. Ajouter l'oignon et l'ail, et faire dorer.
3. Ajouter les lentilles et remuer à l'aide d'une cuillère de bois pour bien les enrober d'huile. Ajouter les tomates et les carottes, puis verser l'eau. Baisser le feu et couvrir. Cuire pendant au moins 45 minutes à partir du premier frémissement. Si la préparation manque de liquide, ajouter de l'eau pour couvrir.
4. Dans le bol d'un mélangeur, verser la préparation chaude et ajouter les zestes d'orange. Mélanger jusqu'à ce que la préparation soit réduite en purée bien lisse.

5. Rectifier l'assaisonnement en sel et poivre. Verser la trempette dans un bol hermétique.

PISTES HARMONIQUES DES LIQUIDES

Tant un Campari, allongé de jus d'orange ou de soda, en apéritif, qu'une bière de type india pale ale résonneront sur la même fréquence que les zestes d'orange et les graines de coriandre.

CORIANDRE FRAÎCHE/CUMIN/ORANGE

DAHL AUX LENTILLES ET À L'ORANGE, CUMIN ET CORIANDRE FRAÎCHE « EN TREMPETTE »

ASTUCE AROMATIQUE

Cumin et coriandre fraîche sont sur une même tonalité aromatique, créant la synergie recherchée avec l'orange. Retenez ce trio pour aromatiser vos vinaigrettes !

INGRÉDIENTS

225 g (½ lb) de lentilles orange
15 ml (1 c. à soupe) d'huile d'olive
5 ml (1 c. à thé) de graines de cumin
1 oignon jaune, haché grossièrement
3 gousses d'ail, hachées grossièrement
4 tomates fraîches et mûres, en dés
1 carotte, en gros morceaux
2,5 litres (10 tasses) d'eau
½ bouquet de coriandre fraîche effeuillée
Sel de mer et poivre du moulin

PRÉPARATION

1. Dans une passoire, rincer les lentilles à l'eau froide. Réserver.
2. Dans une grande casserole munie d'un couvercle, faire revenir les graines de cumin à feu moyen pendant 2 minutes. Ajouter l'oignon et l'ail, et faire dorer.
3. Ajouter les lentilles et remuer à l'aide d'une cuillère de bois pour bien les enrober d'huile. Ajouter les tomates et les carottes, puis verser l'eau. Baisser le feu et couvrir. Cuire pendant au moins 45 minutes à partir du premier frémissement. Si la préparation manque de liquide, ajouter de l'eau pour couvrir.
4. Dans le bol d'un mélangeur, verser la préparation chaude et ajouter les feuilles de coriandre. Mélanger jusqu'à ce que la préparation soit réduite en purée bien lisse.

5. Rectifier l'assaisonnement en sel et poivre. Verser la trempette dans un bol hermétique.

PISTES HARMONIQUES DES LIQUIDES

Riesling avant tout, mais aussi albariño (appellation Rias Baixa, Espagne), encruzado (Portugal), fumé blanc, grüner veltliner (Autriche).

ENDIVES CLASSIQUES AU JAMBON

ASTUCE AROMATIQUE

À partir de ce classique duo endive/jambon, plusieurs pistes sont possibles en tenant compte du profil aromatique de l'endive qui conduit à ses aliments complémentaires : cerise, chicorée à café, chicorée endive, noix et roquefort. Nous vous en proposons une au roquefort et noix (voir recette suivante), mais libre à vous de vous amuser aussi avec la chicorée et la cerise !

INGRÉDIENTS

4 endives moyennes, bien blanches
30 g (2 c. à soupe) de beurre
30 ml (2 c. à soupe) de farine blanche
60 ml (¼ tasse) de bouillon de volaille
125 ml (½ tasse) de lait
60 ml (¼ tasse) de fromage râpé
4 fines tranches de jambon
Muscade
Sel

PRÉPARATION

1. Préchauffer le four à 190 °C (375 °F).
2. Cuire les endives à l'eau bouillante salée pendant environ 7 minutes. Les refroidir.
3. **Béchamel.** Dans une casserole, faire fondre le beurre, ajouter la farine et cuire pendant 2 minutes. Ajouter le bouillon de volaille et le lait. À l'aide d'un fouet, remuer vigoureusement. Faire attention que la béchamel n'accroche pas au fond.
4. Retirer du feu et ajouter le fromage et la muscade. Assaisonner.
5. Tailler les endives et les tranches de jambon en deux. Rouler les endives dans les tranches de jambon et les déposer dans un plat allant au four. Recouvrir de béchamel.
6. Enfourner 6 minutes, puis gratiner.

PISTES HARMONIQUES DES LIQUIDES

La piste aromatique de l'endive nous conduit vers la bière belge brune d'abbaye, le chardonnay boisé, le xérès fino.

 # ENDIVES AU JAMBON, ROQUEFORT ET NOIX

ASTUCE AROMATIQUE

Notre version transformée des classiques endives au jambon (voir recette précédente). Fromage bleu et noix partagent des composés aromatiques avec l'endive, d'où la synergie de saveurs lorsque cuisinés ensemble.

INGRÉDIENTS

4 endives moyennes, bien blanches
30 g (2 c. à soupe) de beurre
30 ml (2 c. à soupe) de farine
10 ml (2 c. à thé) d'huile de noix
60 ml (¼ tasse) de bouillon de volaille
125 ml (½ tasse) de lait
125 ml (½ tasse) de roquefort, émietté
Sel
4 fines tranches de jambon
60 ml (¼ tasse) de noix de Grenoble, concassées

PRÉPARATION

1. Préchauffer le four à 190 °C (375 °F).
2. Cuire les endives à l'eau bouillante salée pendant environ 7 minutes. Les refroidir.
3. **Béchamel.** Dans une casserole, faire fondre le beurre, ajouter la farine et l'huile de noix, et cuire pendant 2 minutes. Ajouter le bouillon de volaille et le lait. À l'aide d'un fouet, remuer vigoureusement. Faire attention que la béchamel n'accroche pas au fond.
4. Retirer du feu et ajouter le roquefort. Assaisonner.
5. Tailler les endives et les tranches de jambon en deux. Rouler les endives dans les tranches de jambon et les déposer dans un plat allant au four. Recouvrir béchamel.
6. Enfourner 6 minutes, puis gratiner.
7. Saupoudrer chaque portion avec les noix concassées et déguster.

PISTES HARMONIQUES DES LIQUIDES

Mêmes suggestions que pour les endives au jambon classique (voir recette précédente).

GASPACHO DE CONCOMBRE ET GIN HENDRICK'S

ASTUCE AROMATIQUE

Le plus que parfumé gin Hendrick's nous a inspiré cette recette, étant donné que son composé volatil dominant est le même que celui qui donne sa signature aromatique au concombre, tout comme à la cardamome. Parfait pour servir en shooter à l'heure de l'apéritif pendant les Fêtes !

INGRÉDIENTS

5 ml (1 c. à thé) de cardamome verte moulue
2 concombres anglais, en cubes
60 ml (¼ tasse) de gin Hendrick's
Sel de mer
250 ml (1 tasse) de glaçons

PRÉPARATION

1. Déposer la cardamome dans un mortier et réduire en poudre à l'aide d'un pilon. Réserver.
2. Dans le bol d'un mélangeur, déposer le concombre, puis ajouter le gin et la cardamome. Mélanger jusqu'à l'obtention d'une texture lisse. Assaisonner et ajouter les glaçons. Mélanger de nouveau jusqu'à ce que la texture soit bien givrée.
3. Remplir des petits verres à shooter de gaspacho. Servir à l'heure de l'apéro !

ASTUCES DE SERVICE

Cette recette se sert autant en potage froid qu'en shooter cocktail, à la fois liquide et solide. À vous de choisir la dose de gin !

PISTES HARMONIQUES DES LIQUIDES

Servez ce gaspacho en potage froid, accompagné de vin blanc sec de muscat, de bière blanche ou de thé vert sencha. Tous partagent le même profil aromatique que le gin Hendrick's. Et si vous le servez plutôt en shooter à l'heure du cocktail, il servira à la fois de liquide et de solide !

CARDAMOME/CONCOMBRE/GIN HENDRICK'S

GASPACHO DE CONCOMBRE, EAU DE ROSE ET GIN HENDRICK'S

ASTUCE AROMATIQUE

Une deuxième variation de gaspacho inspirée par le plus que parfumé gin Hendrick's, dont le concombre et l'eau de rose composent le bouquet. Deux recettes de gaspacho transformées en cocktail liquide que vous pourrez redécouvrir dans le cadre de l'émission Papilles, à Télé-Québec.

INGRÉDIENTS

2 concombres anglais, en cubes
60 ml (¼ tasse) de gin Hendrick's
30 ml (2 c. à soupe) d'eau de rose
Sel de mer
250 ml (1 tasse) de glaçons

PRÉPARATION

1. Dans le bol d'un mélangeur, déposer le concombre, puis ajouter le gin et l'eau de rose. Mélanger jusqu'à l'obtention d'une texture lisse. Assaisonner et ajouter les glaçons. Mélanger de nouveau jusqu'à ce que la texture soit bien givrée.

2. Remplir des petits verres à shooter de gaspacho. Servir à l'heure de l'apéro!

PISTES HARMONIQUES DES LIQUIDES

Surtout un muscat sec, mais aussi les autres pistes proposées dans notre recette de Gaspacho de concombre et gin Hendrick's.

MOUSSE DE FOIE DE VOLAILLE AU PORTO TAWNY

ASTUCE AROMATIQUE

Partant de la piste de ce classique, habituellement réalisé avec du porto tawny, nous avons créé six versions, toutes inspirées par les aliments et les ingrédients liquides complémentaires au tawny.

INGRÉDIENTS

2 échalotes grises, hachées finement
30 ml (2 c. à soupe) d'huile de canola
500 g (1 lb) de foies de volaille (poulet), parés
125 ml (½ tasse) de porto tawny
125 ml (½ tasse) de crème 35 %
½ gousse de vanille, graines raclées
120 g (½ tasse) de beurre salé, en pommade
Sel

PRÉPARATION

1. Dans une poêle, faire revenir à feu doux et sans coloration les échalotes grises dans l'huile de canola.
2. Ajouter les foies de volaille et les cuire rosés.
3. Déglacer avec le porto tawny et laisser réduire aux trois quarts.
4. Laisser refroidir un peu le mélange et le mettre dans le bol d'un batteur électrique.
5. Ajouter la crème, les graines de vanille et le beurre, et mixer pour obtenir une préparation lisse. Rectifier l'assaisonnement.
6. Passer le mélange à l'étamine et verser dans des contenants de service hermétiques. Mettre au réfrigérateur pendant au moins 2 heures.
7. Déguster.

PISTES HARMONIQUES DES LIQUIDES

Bien sûr, un porto tawny avant tout ! Mais aussi une bière brune ou rousse, un blanc élevé en barriques à base de roussanne ou de chardonnay, un xérès amontillado.

MOUSSE DE FOIE DE VOLAILLE AU BANYULS ET CAFÉ

ASTUCE AROMATIQUE

Partant du porto, il n'y avait qu'un pas à franchir vers le banyuls, et je n'ai pas hésité ! Il faut dire que Stéphane Modat est d'origine catalane tout comme les vins de Banyuls, dont le vignoble est tout près du magique petit port de Collioure.

INGRÉDIENTS

2 échalotes grises, hachées finement
30 ml (2 c. à soupe) d'huile de canola
500 g (1 lb) de foies de volaille (poulet), parés
125 ml (½ tasse) de banyuls
125 ml (½ tasse) de crème 35 %
2,5 ml (½ c. à thé) de café soluble
120 g (½ tasse) de beurre salé, en pommade
Sel

PRÉPARATION

1. Dans une poêle, faire revenir à feu doux et sans coloration les échalotes grises dans l'huile de canola.
2. Ajouter les foies de volaille et les faire cuire rosés.
3. Déglacer avec le banyuls et laisser réduire aux trois quarts.
4. Laisser refroidir un peu le mélange et le mettre dans le bol d'un batteur électrique.
5. Ajouter la crème, le café soluble et le beurre, et mixer pour obtenir une préparation lisse. Rectifier l'assaisonnement.
6. Passer le mélange à l'étamine et verser dans des contenants de service hermétiques. Mettre au réfrigérateur pendant au moins 2 heures ou suivant la taille des contenants.

PISTES HARMONIQUES DES LIQUIDES

Banyuls avant tout, mais aussi tous les vins et liquides proposés dans les précédentes recettes de mousse de foies de volaille.

MOUSSE DE FOIE DE VOLAILLE AU BAROLO CHINATO ET ESTRAGON

ASTUCE AROMATIQUE

 Ici, nous avons choisi l'éclectique barolo chinato, qui est une liqueur piémontaise, à base de vins de nebbiolo et d'herbes aromatiques, donc sur la même piste que le porto, en y ajoutant cette fois de l'estragon, lequel est sur le même mode « herbes aromatiques » que l'original barolo chinato.

INGRÉDIENTS

2 échalotes grises, hachées finement
30 ml (2 c. à soupe) d'huile de canola
500 g (1 lb) de foies de volaille (poulet), parés
125 ml (½ tasse) de barolo chinato
125 ml (½ tasse) de crème 35 %
60 ml (¼ de tasse) de feuilles d'estragon, hachées
120 g (½ tasse) de beurre salé en pommade
Sel

PRÉPARATION

1. Dans une poêle, faire revenir à feu doux et sans coloration les échalotes grises dans l'huile de canola.
2. Ajouter les foies de volaille et les faire cuire rosés.
3. Déglacer avec le barolo chinato et laisser réduire aux trois quarts.
4. Laisser refroidir un peu le mélange et le mettre dans le bol d'un batteur électrique.
5. Ajouter la crème, l'estragon et le beurre, et mixer pour obtenir une préparation lisse. Rectifier l'assaisonnement.

6. Passer le mélange à l'étamine et verser dans des contenants de service hermétiques. Mettre au réfrigérateur pendant au moins 2 heures.

PISTES HARMONIQUES DES LIQUIDES

Si vous avez la chance de mettre la main sur un barolo chinato, n'hésitez pas ! Sinon, servez un porto ruby, ou, pour les aventuriers, un vermouth rouge de qualité (ça existe !).

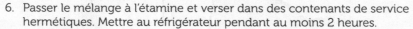

MOUSSE DE FOIE DE VOLAILLE AU MUSCAT ET RAISINS DE CORINTHE

ASTUCE AROMATIQUE

Le porto tawny est sur la même piste aromatique que les raisins de Corinthe, lesquels sont sur la même tonalité que le raisin muscat, donc des vins doux naturels muscatés. Ceci explique cela !

INGRÉDIENTS

2 échalotes grises, hachées finement
30 ml (2 c. à soupe) d'huile de canola
500 g (1 lb) de foies de volaille (poulet), parés
125 ml (½ tasse) de vin doux naturel de muscat
125 ml (½ tasse) de crème 35 %
120 g (½ tasse) de beurre salé en pommade
Sel
125 ml (½ tasse) de raisins de Corinthe, réhydratés à l'eau chaude

PRÉPARATION

1. Dans une poêle, faire revenir à feu doux et sans coloration les échalotes grises dans l'huile de canola.
2. Ajouter les foies de volaille et les faire cuire rosés.
3. Déglacer avec le muscat et laisser réduire aux trois quarts.
4. Laisser refroidir un peu le mélange et le mettre dans le bol d'un batteur électrique.
5. Ajouter la crème et le beurre et mixer pour obtenir une préparation lisse. Rectifier l'assaisonnement.
6. Passer le mélange à l'étamine, ajouter les raisins de Corinthe et verser dans des contenants de service hermétiques. Mettre au réfrigérateur pendant au moins 2 heures.

PISTES HARMONIQUES DES LIQUIDES

Ne cherchez pas et servez votre vin de muscat préféré : muscat, moscato, moscatel, zibibbo...

MOUSSE DE FOIE DE VOLAILLE AU PORTO TAWNY ET THÉ NOIR FUMÉ

ASTUCE AROMATIQUE

Thé noir fumé et porto tawny, même combat !

INGRÉDIENTS

125 ml (½ tasse) de crème 35 %
1,25 ml (¼ c. à thé) de thé noir fumé Lapsang Souchong
2 échalotes grises, hachées finement
30 ml (2 c. à table) d'huile de canola
500 g (1 lb) de foies de volaille (poulet), parés
125 ml (½ tasse) de banyuls, de porto ou de barolo chinato
120 g (½ tasse) de beurre salé, en pommade
Sel

PRÉPARATION

1. Dans une petite casserole, faire chauffer la crème et y mettre le thé à infuser quelques minutes. Filtrer et réserver au réfrigérateur.
2. Dans une poêle, faire revenir à feu doux et sans coloration les échalotes grises dans l'huile de canola.
3. Ajouter les foies de volaille et les faire cuire rosés.
4. Déglacer avec le liquide choisi et laisser réduire aux trois quarts.
5. Laisser refroidir un peu le mélange et le mettre dans le bol d'un batteur électrique.
6. Ajouter la crème et le beurre, et mixer pour obtenir une préparation lisse. Rectifier l'assaisonnement.
7. Passer le mélange à l'étamine et verser dans des contenants de service hermétiques. Mettre au réfrigérateur pendant au moins 2 heures.

PISTES HARMONIQUES DES LIQUIDES

Ajoutez aux recommandations de la recette précédente le thé noir fumé ainsi que les vins rouges espagnols de tempranillo et/ou garnacha, élevés en barriques.

MOUSSE DE FOIE DE VOLAILLE AU PORTO RUBY ET CANNEBERGES SÉCHÉES

ASTUCE AROMATIQUE

Nous avons ici troqué le porto tawny par un ruby, puis nous y avons ajouté des canneberges, lesquelles sont sur la même piste aromatique que les portos de type ruby et late bottled vintage. De plus, l'idée était de donner une connotation fête de Noël à cette mousse idéale en canapés, en tapas et en entrée à cette période de l'année.

INGRÉDIENTS

125 ml (½ tasse) de canneberges séchées
125 ml (½ tasse) de porto ruby
2 échalotes grises, hachées finement
30 ml (2 c. à soupe) d'huile de canola
500 g (1 lb) de foies de volaille (poulet), parés
125 ml (½ tasse) de crème 35 %
120 g (½ tasse) de beurre salé, en pommade
Sel

PRÉPARATION

1. La veille, mettre les canneberges à tremper dans le porto ruby.
2. Le lendemain, filtrer les canneberges en prenant soin de conserver le porto.
3. Dans une poêle, faire revenir à feu doux et sans coloration les échalotes grises dans l'huile de canola.
4. Ajouter les foies de volaille et les faire cuire rosés.
5. Déglacer avec le porto ruby et laisser réduire aux trois quarts.
6. Laisser refroidir un peu le mélange et le mettre dans le bol d'un batteur électrique.
7. Ajouter la crème et le beurre, et mixer pour obtenir une préparation lisse. Rectifier l'assaisonnement.
8. Passer le mélange à l'étamine, ajouter les canneberges complètement égouttées et verser dans des contenants de service hermétiques. Mettre au réfrigérateur pendant au moins 2 heures.

PISTES HARMONIQUES DES LIQUIDES

Les portos de type ruby et late bottled vintage ainsi que les vins rouges du Nouveau Monde à base de pinot noir sont vos alliés.

PROSCIUTTO ET MELON À LA MENTHE

ASTUCE AROMATIQUE

Sur la piste aromatique de ce classique italien, il suffit d'ajouter de la menthe et du xérès fino, tous deux dans la même sphère aromatique, ce qui permet de jazzer cet antipasti, tout en demeurant dans la zone de confort initiale. Nous avons ajouté aussi de la crème de menthe dans la marinade au melon et au xérès fino, question d'adoucir l'alcool et d'élever d'un cran la synergie menthe/melon/fino.

INGRÉDIENTS

125 ml (½ tasse) de xérès fino
10 ml (2 c. à thé) de crème de menthe blanche
6 fines tranches de jambon séché (prosciutto)
1 melon cantaloup
½ bouquet de menthe

PRÉPARATION

1. Dans un petit bol à mélanger, verser le xérès fino et la crème de menthe et mélanger. Réserver.

2. Tailler chaque tranche de jambon séché en deux. Déposer sur une assiette et recouvrir d'une pellicule plastique. Réserver au réfrigérateur.

3. Deux heures avant le service, tailler le melon en deux et retirer les graines. Diviser la préparation de xérès et de crème de menthe en deux et verser chaque moitié dans les melons. Recouvrir les melons d'une pellicule plastique. Réfrigérer en prenant bien soin de ne pas renverser le liquide.

4. Juste avant de servir, émincer la menthe finement. Réserver.

5. Tailler le melon en tranches et retirer la peau, puis tailler chaque tranche en deux. Saupoudrer les morceaux de melon de menthe ciselée. Enrouler chaque morceau d'une tranche de jambon et piquer avec un cure-dent pour tenir le jambon en place.

6. Dresser sur un plateau de service et déguster.

PISTES HARMONIQUES DES LIQUIDES

Un xérès fino, un sauvignon blanc, un verdejo (de l'appellation Rueda) ou, pour les plus aventureux, un cocktail grasshopper !

ROULEAUX DE PRINTEMPS AU « GOÛT DE FROID »

ASTUCE AROMATIQUE

Des rouleaux de printemps en hiver !? Il suffit de faire des rouleaux en mode « goût de froid »... Car, fait intéressant, dans la liste des aliments qui génèrent en bouche une impression de « goût de froid », comme la menthe fraîche, il y a les aliments à goût anisé, comme ceux de cette recette de rouleaux de printemps ! Nous y avons ajouté de l'estragon, de la pomme, du poivron vert, du concombre et même du wasabi. N'hésitez pas à remplacer l'estragon par de la menthe, puis à ajouter du poivron vert.

INGRÉDIENTS

16 galettes de riz

GARNITURE

80 g (environ 3 oz) de vermicelles de riz sec
125 ml (½ tasse) d'huile d'olive
250 ml (1 tasse) de germes de soya (fèves germées)
1 petit concombre, épépiné, en julienne
1 (selon la taille) carotte jaune, en julienne
½ bouquet d'estragon, finement haché
2 oignons verts, ciselés
1 pomme Granny Smith, en julienne
1 branche de céleri, en julienne
8 grosses crevettes cuites, coupées en deux dans le sens de la longueur
Sel de mer

PRÉPARATION

GARNITURE

1. Dans un bol, déposer les vermicelles de riz et les recouvrir d'eau bouillante. Laisser tremper 5 minutes, puis égoutter. Verser l'huile d'olive, mélanger avec les mains pour bien enduire les vermicelles d'huile. Réserver.

2. Dans un grand bol à mélanger, déposer tous les ingrédients sauf les crevettes. Mélanger et ajuster l'assaisonnement en sel. Réserver.

FINITION

1. Dans un grand bol d'eau chaude, tremper deux galettes de riz à la fois, puis les déposer sur un linge sec et propre.

2. Sur le plan de travail, superposer deux galettes de riz et déposer une petite quantité de garniture dans la partie inférieure de la feuille (la plus près de vous), puis déposer deux demi-crevettes. En partant de la partie la plus près de vous, commencer à rouler la galette, le plus serré possible, tout en rabattant les côtés. Répéter l'opération pour les huit rouleaux.

ASTUCE AROMATIQUE

Accompagnez les rouleaux de la mayonnaise au wasabi et au citron vert (voir *Papilles pour tous ! Automne*, page 196).

PISTES HARMONIQUES DES LIQUIDES

Mêmes suggestions que pour les rouleaux de printemps en mode anisé (voir recette suivante).

ANETH/BETTERAVE ET CAROTTE JAUNE/CORIANDRE /FENOUIL

ROULEAUX DE PRINTEMPS EN MODE ANISÉ

ASTUCE AROMATIQUE

La liste des aliments à goût anisé est très large, donnant une belle palette de possibilités pour créer des rouleaux où les ingrédients créent une forte synergie aromatique. Menthe, basilic, cerfeuil, persil, céleri et céleri-rave peuvent aussi faire partie de l'équipe. Pas convaincu ? Attendez de voir ce que l'on en fera à l'émission Papilles !

INGRÉDIENTS

16 galettes de riz

GARNITURE
80 g (environ 3 oz) de vermicelles de riz sec
125 ml (½ tasse) d'huile d'olive
250 ml (1 tasse) de germes de soya (fèves germées)
½ bulbe de fenouil, en julienne
1 (selon la taille) carotte jaune, en julienne
2 oignons verts, ciselés
1 betterave jaune, en julienne
½ bouquet d'aneth, finement haché
½ bouquet de coriandre, finement haché
8 grosses crevettes cuites, coupées en deux dans le sens de la longueur
Sel de mer

PRÉPARATION

GARNITURE

1. Dans un bol à mélanger, déposer les vermicelles de riz et les recouvrir d'eau bouillante. Laisser tremper 5 minutes, puis égoutter. Verser l'huile d'olive, mélanger avec les mains pour bien enduire les vermicelles d'huile. Réserver.

2. Dans un grand bol, déposer tous les ingrédients sauf les crevettes. Mélanger et ajuster l'assaisonnement en sel. Réserver.

FINITION

1. Dans un grand bol d'eau chaude, tremper deux galettes de riz à la fois puis les déposer sur un torchon sec et propre.
2. Sur le plan de travail, superposer deux galettes de riz et déposer une petite quantité de garniture dans la partie inférieure de la feuille (près de vous), puis déposer ensuite deux demi-crevettes. En partant de la partie la plus près de vous, commencer à rouler la galette, le plus serré possible, tout en rabattant les côtés. Répéter l'opération pour les huit rouleaux.

ASTUCE AROMATIQUE

Accompagnez les rouleaux d'une émulsion d'huile aromatisée au persil et de jus de pamplemousse rose.

PISTES HARMONIQUES DES LIQUIDES

Tous les vins de cépages complémentaires au sauvignon blanc sont bienvenus, à commencer par le sauvignon blanc lui-même ! Lesquels ? Verdejo, chenin blanc, chardonnay (de Chablis et non boisé), riesling (alsacien et très jeune), garganega (de Soave), greco di Tufo (Italie), grüner veltliner (Autriche).

BASILIC/CORIANDRE FRAÎCHE/CURCUMA/GINGEMBRE/
LAVANDE/SAFRAN

TAPAS FRITES DE FROMAGE EN CROTTES_Mc²

ASTUCE AROMATIQUE

Nous vous avons proposé une série de variations aromatiques de tapas de fromage en crottes dans la précédente publication *Automne*. Cette fois-ci, nous avons passé le fromage en grains à la friture. Il ne vous reste plus qu'à servir ces tapas accompagnées d'ingrédients de même famille aromatique que le fromage cheddar : basilic avec dés de pomme rouge ; coriandre fraîche avec quartiers de pomme verte ; curcuma avec bâtonnets de carottes crues ; gingembre avec litchis ; lavande avec raisins Muscat ; safran avec morceaux de pomme jaune. Ainsi, il y aura synergie, tout en rafraîchissant la bouche du gras de la friture.

INGRÉDIENTS

3 œufs
60 ml (¼ tasse) de lait 3,25%
Au goût : basilic, coriandre fraîche, curcuma, gingembre, lavande ou safran
Sel
115 g (1 tasse) de farine
1,25 litre (5 tasses) de chapelure panko (magasins asiatiques)
2 sacs de fromage en grains frais du jour
Poivre
Huile végétale pour un bain de friture

PRÉPARATION

1. Dans un grand bol, battre les œufs, le lait, l'herbe choisie et une pincée de sel.
2. Dans deux autres bols, mettre la farine et la chapelure.
3. Enrober les grains de fromage de farine, puis les tremper dans le mélange d'œufs. Égoutter
4. Rouler les grains de fromage dans la chapelure.
5. Répéter l'opération œufs/chapelure.
6. Faire frire les grains de fromage dans un bain de friture jusqu'à ce qu'ils soient bien dorés.
7. Les déposer sur un papier absorbant. Saler et poivrer, et déguster.

PISTES HARMONIQUES DES LIQUIDES

Suivez les pistes harmoniques proposées avec les tapas de fromage en crottes du livre *Papilles pour tous! Automne* : basilic avec sauvignon blanc, coriandre fraîche avec riesling, gingembre/litchi avec gewurztraminer ou malvasia...

BASILIC THAÏ/GIROFLE

TARTINADES DE HARENGS FUMÉS EN MODE GIROFLE

ASTUCE AROMATIQUE

La note de fumée de ce hareng m'a conduit vers le clou de girofle et le basilic thaï qui, tous deux, partagent des composés aromatiques de même famille que la fumée. Ensemble, la synergie explose! Tant qu'à parler de fumée, nous avons aussi opté pour une deuxième version (voir recette suivante) au thé noir fumé Lapsang Souchong.

INGRÉDIENTS

125 g (4 ½ oz) de filets de harengs fumés (salés, séchés ou dans l'huile)
125 g (½ tasse) de fromage à la crème
½ oignon jaune moyen, haché finement
2,5 ml (½ c. à thé) de clou de girofle moulu
30 ml (2 c. à soupe) de yogourt grec
Quelques feuilles de basilic thaï
Huile d'olive

PRÉPARATION

1. Concasser grossièrement les filets de harengs et les placer dans le bol d'un robot culinaire.
2. Ajouter tous les autres ingrédients et mixer pour obtenir une préparation lisse.
3. Vérifier l'assaisonnement, selon la sorte de hareng utilisé.
4. Réserver.

PISTES HARMONIQUES DES LIQUIDES

La fumée, le basilic thaï et le girofle sont le royaume aromatique des vins élevés en barriques, plus particulièrement les blancs du Midi à base de grenache blanc, de marsanne et/ou de roussanne.

BASILIC THAÏ/GIROFLE/THÉ NOIR FUMÉ

TARTINADES DE SARDINES FUMÉES AU THÉ LAPSANG SOUCHONG

ASTUCE AROMATIQUE

Notre version inspirée de nos tartinades de hareng fumé en mode girofle (voir recette précédente).

INGRÉDIENTS

2 boîtes de sardines nature à l'huile (salées, séchées ou dans l'huile)
125 g (½ tasse) de fromage à la crème
½ oignon jaune moyen, haché finement
2,5 ml (½ c. à thé) de thé Lapsang Souchong, réduit en poudre
2,5 ml (½ c. à thé) de clou de girofle moulu
30 ml (2 c. à soupe) de yogourt grec
Quelques feuilles de basilic thaï
Huile d'olive

PRÉPARATION

1. Concasser grossièrement les filets de sardines et les placer dans le bol d'un robot culinaire.
2. Ajouter tous les autres ingrédients et mixer pour obtenir une préparation lisse.
3. Vérifier l'assaisonnement, selon la sorte de sardine utilisée.
4. Réserver.

PISTES HARMONIQUES DES LIQUIDES

Référez-vous aux suggestions de la recette de tartinades de harengs fumés en mode girofle (voir page 38).

TOMATES JAUNES FARCIES À L'AGNEAU, THYM ET CITRONS CONFITS

ASTUCE AROMATIQUE

Une tomate farcie pour amateur de vin rouge… et de vin blanc ! C'est que la piste de l'agneau est avant tout celle du thym, et que le thym et le citron sont aussi sur la même piste, tout comme le curcuma, le poivre et la cardamome. En bout de piste, le gène de saveur est celui de l'agneau.

INGRÉDIENTS

8 tomates jaunes moyennes, mûres
Sel (pour retirer l'eau de végétation)
1 oignon jaune moyen, haché finement
4 gousses d'ail, hachées
2 tranches de pain de la veille, sans croûte
60 ml (¼ tasse) de vin blanc du Sud
1 œuf entier
500 g (1 lb) d'agneau haché
30 ml (2 c. à soupe) de citron confit, haché
2 branches de thym frais
1/2 bouquet (½ tasse) de basilic frais, haché
2 graines de cardamome verte, moulue
5 ml (1 c. à thé) de curcuma, moulu
Sel, poivre du moulin

PRÉPARATION

1. Laver et retirer la calotte des tomates.
2. Vider l'intérieur des tomates sans briser l'enveloppe extérieure.
3. Saler l'intérieur, retourner sur une grille, pour faire dégorger et retirer le maximum d'eau de végétation.
4. **Farce.** Dans une poêle, faire blondir l'oignon et l'ail. Réserver au froid.
5. Tailler le pain en cubes et l'imbiber de vin blanc.
6. Lorsque que le mélange oignon et ail est froid, mettre dans le bol d'un batteur électrique et réduire en purée avec l'œuf.
7. Mélanger avec la viande. Ajouter le citron confit, la mie de pain imbibée hachée finement, les herbes et les épices*.
8. Farcir les tomates de la préparation.
9. Mettre dans un plat allant au four, recouvert d'une feuille de papier aluminium, et cuire pendant 1 heure à 160 °C (325 °F).

*Pour vérifier l'assaisonnement, faire cuire une petite quantité de farce dans une poêle. Rectifier si nécessaire.

PISTES HARMONIQUES DES LIQUIDES

Optez pour les vins rouges du Midi, à base de grenache, syrah et mourvèdre, très marqués par la tonalité garrigue du thym. Mais, comme l'agneau est haché, donc pas saignant, et qu'il y a du curcuma et de la cardamome, osez servir un blanc à base de gewurztraminer. Vos convives seront bluffés, et heureux !

CORIANDRE FRAÎCHE/POMME/HUILE D'OLIVE

TREMPETTE DE YOGOURT À LA CORIANDRE, POMME GRANNY SMITH ET HUILE D'OLIVE

ASTUCE AROMATIQUE

Sur la piste des aliments au « goût de froid », comme je l'explique plus en détail dans le livre *Papilles et Molécules*, il y a la coriandre fraîche, qui, comme la menthe, provoque une sensation de fraîcheur en bouche. Dans une moindre mesure, la pomme, l'huile d'olive et le yogourt suscite la même sensation. Une fois ces éléments rassemblés, la synergie venue du froid opère ! L'heure de l'apéritif des Fêtes ne sera plus jamais la même...

INGRÉDIENTS

45 ml (3 c. à soupe) d'huile d'olive
1 pomme Granny Smith, en fine brunoise
2 oignons verts, finement ciselés
375 ml (1 ½ tasse) de yogourt nature
30 ml (2 c. à soupe) de mayonnaise maison
½ bouquet de coriandre, hachée
Zestes d'un demi-citron vert
Sel de mer
Wasabi

PRÉPARATION

1. Verser l'huile d'olive sur les pommes et mélanger pour les empêcher de s'oxyder. Réserver.
2. Dans un bol, mélanger le yogourt, la mayonnaise, les pommes à l'huile d'olive, les oignons verts et le zeste de citron vert. Mélanger. Assaisonner de sel et de wasabi (au goût). Mélanger de nouveau.

ASTUCES DE SERVICE

Servez cette trempette avec des aliments partageant le même profil « goût de froid », comme c'est le cas du concombre, du poivron vert, du céleri-rave, du panais, de la racine de persil, de la carotte crue (surtout la jaune), de la betterave jaune, du fenouil frais et du radis noir.

PISTES HARMONIQUES DES LIQUIDES

Servez des vins composés de cépages engendrant ce « goût de froid », comme c'est le cas, chez les vins rouges, du cabernet franc et du vinho verde rouge, et chez les blancs, du grüner veltliner, du chardonnay de climat frais non boisé, du romorantin, du verdejo et du sauvignon blanc. Enfin, un thé vert sencha, qu'il soit servi chaud ou frais, participe aussi à cette sensation.

CHAMPIGNONS À LA GRECQUE

ASTUCE AROMATIQUE

Pourquoi ne pas remplacer le classique bouquet garni par de la lavande ou ajouter une touche de lait de coco lors de la cuisson? Eh oui, tous deux sont sur la même piste aromatique que le champignon!

INGRÉDIENTS

1 bâton de cannelle

30 ml (2 c. à soupe) d'huile d'olive

1 gros oignon blanc, ciselé

5 ml (1 c. à thé) de sommités de lavande

1 kg (2 lb) de champignons de Paris moyens, pelés et taillés en deux (au besoin)

Jus d'un citron vert

1 branche de céleri

187,5 ml (¾ tasse) de vin sauvignon blanc

Sel

PRÉPARATION

1. Dans un petit carré d'étamine, déposer le bâton de cannelle et les sommités de lavande. Nouer pour former un petit balluchon. Réserver.

2. Dans une casserole, faire chauffer l'huile d'olive. Ajouter les oignons et les faire suer sans aucune coloration pendant 5 à 6 minutes. Ajouter les champignons, le jus de citron vert, la branche de céleri, le vin blanc et le sel au goût. Augmenter le feu et cuire pendant 5 minutes à feu vif.

3. Ajouter le balluchon contenant la lavande et le bâton de cannelle. Cuire 2 minutes.

4. Verser la préparation dans un bol hermétique et placer au réfrigérateur.

5. Avant de servir, retirer les herbes et la branche de céleri. Déguster froid.

ASTUCES DE SERVICE

Les cuisiniers aventuriers peuvent servir ces champignons avec un « air de lavande » (voir la recette de *Vraie crème de champignons à l'air de lavande*, dans le livre Les *Recettes de Papilles et Molécules*, p. 63).

PISTES HARMONIQUES DES LIQUIDES

Le duo lavande/champignons nous conduit tout droit vers une bière de type india pale ale, tout comme vers un riesling australien. Si vous ajoutez du lait de coco, alors il faudra choisir une bière plus riche et plus soutenue, et le riesling devra avoir vu la barrique.

SALADE DE CAROTTES ET CÉLERI-RAVE, CORIANDRE FRAÎCHE

ASTUCE AROMATIQUE

Cette salade « dépanneur douze mois l'an » est composée d'un trio d'ingrédients sur la piste des aliments à goût anisé. À vous de varier vos versions en remplaçant le céleri-rave par du panais ou des rabioles, ou encore, la coriandre fraîche par du basilic, de la menthe fraîche ou de l'estragon.

INGRÉDIENTS

SALADE
6 carottes moyennes, râpées
1 céleri-rave moyen, râpé

SAUCE
Jus d'un demi-citron vert
15 ml (1 c. à soupe) de mayonnaise maison
1 botte de coriandre, hachée
125 ml (½ tasse) d'huile d'olive
Sel
Wasabi

PRÉPARATION

1. Dans un bol, mélanger les carottes et le céleri-rave.
2. Dans un autre bol, mélanger le jus de citron vert, la mayonnaise maison, la coriandre et l'huile d'olive.
3. Rectifier l'assaisonnement en sel et mettre du wasabi au goût pour jazzer un peu.
4. Mélanger la sauce à la salade. Réfrigérer avant de servir.

PISTES HARMONIQUES DES LIQUIDES

Nous sommes ici sur la piste aromatique des vins de sauvignon blanc, tout comme des vins de cépages complémentaires à ce dernier : verdejo, grüner veltliner, greco Tufo, gavi, romorantin...

SALADE DE CHAMPIGNONS, NOIX DE COCO GRILLÉE ET VINAIGRETTE À LA NOISETTE

ASTUCE AROMATIQUE

Champignons, noisettes et noix de coco sont tous sur le même mode aromatique, d'où la grande synergie de saveurs lorsqu'ils sont réunis. Un trio à retenir pour un sauté ou encore pour accompagner un filet de porc, une viande qui est sur la même tonalité !

INGRÉDIENTS

VINAIGRETTE

30 ml (2 c. à soupe) de vinaigre balsamique
2,5 ml (½ c. à thé) de sel
10 ml (2 c. à thé) de moutarde de Dijon
60 ml (4 c. à soupe) d'huile de noisette
60 ml (4 c. à soupe) d'huile de canola

SALADE

2 barquettes de champignons blancs
60 ml (¼ tasse) de copeaux de noix de coco, grillés
Sel

PRÉPARATION

1. **Vinaigrette.** Dans un petit bol, déposer le vinaigre et le sel. Mélanger pour dissoudre le sel. Ajouter la moutarde et émulsionner en versant les huiles en filet.
2. Essuyer les champignons à l'aide d'un linge propre et les tailler en quatre.
3. Au moment de servir, ajouter la vinaigrette et mélanger. Rectifier l'assaisonnement en sel.
4. Saupoudrer de copeaux de noix de coco grillés.

PISTES HARMONIQUES DES LIQUIDES

C'est l'univers des vins élevés en barriques de chêne, plus particulièrement des chardonnays du Nouveau Monde et des roussannes du Midi, sans oublier, en rouge, les vins de merlot et de pinot noir, tous deux du Nouveau Monde.

SALADE DE CREVETTES FROIDES, VINAIGRETTE AU JUS DE PAMPLEMOUSSE ROSE

ASTUCE AROMATIQUE

Nous voici dans l'univers aromatique de la crevette, qui nous conduit, vers les ingrédients rassemblés dans cette recette. Une fois réunis, ils créent une forte synergie de saveurs permettant la réussite de ce plat.

INGRÉDIENTS

CREVETTES
6 litres (24 tasses) d'eau froide
22,5 ml (1 ½ c. à soupe) de paprika
1 branche de céleri
Écorce d'un pamplemousse rose (la membrane blanche retirée)
Sel de céleri
1 kg (2 lb) de crevette 41/50 décortiquées et déveinées

VINAIGRETTE AU JUS DE PAMPLEMOUSSE ROSE
¼ de pomme Golden Delicious
60 ml (¼ tasse) de jus de pamplemousse rose, fraîchement pressé
15 g (1 c. à soupe) de gingembre, fraîchement râpé
5 ml (1 c. à thé) de paprika (ou pimentón)
125 ml (½ tasse) d'huile d'olive

SALADE
Huile d'olive
250 g (1 barquette) de tomates cerises, taillées en deux ou en quatre
50 g (⅕ tasse) de fèves de soya germées, rincées et égouttées
5 ml (1 c. à thé) d'huile de sésame grillé
15 ml (1 c. à soupe) de paprika
60 g (½ tasse) d'arachides grillées, concassées

PRÉPARATION

1. **Crevettes.** Dans une grande casserole, verser l'eau froide puis ajouter le paprika, la branche de céleri, et les morceaux d'écorce de pamplemousse. Assaisonner avec le sel de céleri. Couvrir et porter le bouillon à ébullition.

2. Dès que le bouillon atteint l'ébullition, y déposer les crevettes et remuer pour éviter qu'elles ne collent ensemble et qu'elles cuisent uniformément. Faire cuire quelques minutes. Dès que les crevettes deviennent rosées, elles sont cuites. Pour éviter que les crevettes soient trop cuites, surveiller le bouillon pour qu'il ne reprenne pas l'ébullition.

3. À l'aide d'une cuillère trouée ou d'une araignée, retirer les crevettes du bouillon Les huiler, puis les laisser refroidir.

4. **Vinaigrette.** Dans un mélangeur, déposer la pomme, le jus de pamplemousse, le gingembre et le paprika. Mélanger jusqu'à ce que la préparation soit lisse et homogène.

5. Pendant que le mélangeur fonctionne, retirer le petit bouchon du couvercle et verser l'huile d'olive en filet jusqu'à ce que la préparation soit entièrement émulsionnée.

6. **Salade.** Dans un grand bol à salade, déposer tous les ingrédients et mélanger délicatement. Verser la vinaigrette et l'huile de sésame grillé, puis mélanger à nouveau. Rectifier l'assaisonnement et servir.

PISTES HARMONIQUES DES LIQUIDES

Le profil aromatique de la crevette et de ses aliments complémentaires utilisés dans cette salade permet différents styles de vins qui partagent tous ce même profil, notamment le fumé blanc, le vin rosé, le champagne et le xérès fino. Cela semble très large comme fenêtre, mais faites l'expérience avec les quatre, vous serez bouche bée comme tous ceux qui ont « goûté à ma médecine » l'ont été.

FÈVE DE SOYA GERMÉE/MELON D'EAU/
PAMPLEMOUSSE ROSE/PAPRIKA

SALADE DE FARFALLE AUX CREVETTES ET TOMATES FRAÎCHES, MELON D'EAU, PAPRIKA, FÈVES DE SOYA GERMÉES ET VINAIGRETTE DE PAMPLEMOUSSE ROSE

ASTUCE AROMATIQUE

Nous voici dans l'univers aromatique de la crevette, qui nous conduit, entre autres, à l'ensemble des ingrédients rassemblés dans cette recette. Tous, une fois réunis, créent une forte synergie de saveurs permettant la réussite de ce plat.

INGRÉDIENTS

400 g (14 oz) de pâte farfalle
Huile d'olive
500 g (1 lb) de crevettes crues (41/50)
100 g ($^2/_5$ tasse) de melon d'eau, en petits cubes
50 g ($^1/_5$ tasse) de fèves de soya germées, rincées et égouttées
250 g (1 tasse) de tomates cerises, taillées en deux ou en quatre
15 g (1 c. à soupe) de paprika
Vinaigrette de pamplemousse rose (voir recette précédente)
Sel de mer

PRÉPARATION

1. Cuire les pâtes à l'eau bouillante salée selon les instructions figurant sur l'emballage. Égoutter les pâtes et les rafraîchir sous l'eau froide. Les déposer dans un grand bol à salade et verser un peu d'huile d'olive. Mélanger délicatement pour bien enduire les pâtes. Réserver.

2. Cuire les crevettes rapidement à l'eau bouillante. Laisser refroidir et réserver.

3. Dans le bol contenant les pâtes, déposer tous les ingrédients et mélanger délicatement. Verser la vinaigrette et mélanger à nouveau. Rectifier l'assaisonnement et servir.

*Les farfalle sont des pâtes en forme de papillons.

PISTES HARMONIQUES DES LIQUIDES

Le profil aromatique de la crevette, et de ses aliments complémentaires utilisés dans cette salade, permet différents styles de vins qui partagent tous ce même profil, notamment le fumé blanc, le vin rosé, le champagne et le xérès fino.

CRÈME DE RUTABAGA AU CLOU DE GIROFLE

ASTUCE AROMATIQUE

Comme tous les légumes-racines font partie de la famille des anisés, ou plus précisément des aliments dont le goût rappelle plus ou moins fortement l'anis, nous vous proposons quelques versions de crème de rutabaga parfumée avec un ingrédient de cette même famille anisée, en l'occurrence le girofle. À la suite de cette recette, vous trouverez nos versions à l'anis étoilé, aux graines de fenouil, à la menthe et à l'estragon.

INGRÉDIENTS

1 oignon jaune, haché
1 blanc de poireau, haché
15 ml (1 c. à soupe) d'huile végétale
15 g (1 c. à soupe) de beurre salé
6 clous de girofle, concassés
3 rutabagas, épluchés et taillés en cubes
2 litres (8 tasses) de bouillon de bœuf
60 ml (¼ tasse) de crème 35 %
Sel

PRÉPARATION

1. Dans une grande casserole à fond épais, faire suer (sans coloration) l'oignon et le blanc de poireau, à feu doux, dans l'huile et le beurre.
2. Ajouter les clous de girofle et faire revenir.
3. Ajouter les rutabagas. Mouiller avec le bouillon de bœuf. Porter à ébullition et cuire pendant 15 à 20 minutes.
4. À la fin de la cuisson, ajouter la crème et faire bouillir. Aux premiers frémissements, retirer du feu et mixer à l'aide d'un mélangeur à main.
5. Passer au tamis fin pour retirer les éclats de clous de girofle.
6. Rectifier l'assaisonnement et servir.

PISTES HARMONIQUES DES LIQUIDES

Comme le girofle est l'épice de la barrique (voir détail dans le chapitre du même nom du tome I du livre *Papilles et Molécules*), servez des vins élevés dans le chêne, plus particulièrement un sauvignon blanc ou un pinot noir du Nouveau Monde – oui, oui, vous avez le choix entre un blanc et un rouge, la synergie étant ici effectuée par le passage en barriques de chêne, et non par la couleur ou la présence de tanins dans le vin.

SOUPES ET SANDWICHS

CRÈME DE RUTABAGA AUX GRAINES DE FENOUIL

ASTUCE AROMATIQUE

Les graines de fenouil étant sur la même piste aromatique que le rutabaga, cette recette s'inspire de la crème de rutabaga au clou de girofle (voir recette, page 49).

INGRÉDIENTS

1 oignon jaune, haché
1 blanc de poireau, haché
15 ml (1 c. à soupe) d'huile végétale
15 g (1 c. à soupe) de beurre salé
1 c. à thé de graines de fenouil, concassées
3 rutabagas, épluchés et taillés en cubes
2 litres (8 tasses) de bouillon de bœuf
60 ml (¼ tasse) de crème 35 %
Sel

PRÉPARATION

1. Dans une grande casserole à fond épais, faire suer (sans coloration) l'oignon et le blanc de poireau, à feu doux, dans l'huile et le beurre.

2. Ajouter les graines de fenouil. Faire revenir.

3. Ajouter les rutabagas. Mouiller avec le bouillon de bœuf. Porter à ébullition et cuire pendant 15 à 20 minutes.

4. À la fin de la cuisson, ajouter la crème et faire bouillir. Aux premiers frémissements, retirer du feu et mixer à l'aide d'un mélangeur à main.

5. Passer au tamis fin pour retirer les éclats de graines de fenouil.

6. Rectifier l'assaisonnement et servir.

PISTES HARMONIQUES DES LIQUIDES

Qui dit fenouil dit sauvignon blanc, tout comme les cépages qui lui sont complémentaires, dont : verdejo, grüner veltliner, romorantin, greco di Tufo, garganega.

CRÈME DE RUTABAGA À L'ESTRAGON

ASTUCE AROMATIQUE

L'estragon étant sur la même piste aromatique que le rutabaga, cette recette s'inspire de la crème de rutabaga au clou de girofle (voir recette, page 49).

INGRÉDIENTS

1 oignon jaune, haché
1 blanc de poireau, haché
15 ml (1 c. à soupe) d'huile végétale
15 g (1 c. à soupe) de beurre salé
3 rutabagas, épluchés et taillés en cubes
2 litres (8 tasses) de bouillon de bœuf
60 ml (¼ tasse) de crème 35 %
½ bouquet d'estragon, effeuillé
Sel

PRÉPARATION

1. Dans une grande casserole à fond épais, faire suer (sans coloration) l'oignon et le blanc de poireau, à feu doux, dans l'huile et le beurre.
2. Ajouter les rutabagas. Mouiller avec le bouillon de bœuf. Porter à ébullition et cuire pendant 15 à 20 minutes.
3. À la fin de la cuisson, ajouter la crème et faire bouillir. Aux premiers frémissements, retirer du feu.
4. Ajouter l'estragon et mixer à l'aide d'un mélangeur à main.
5. Passer au tamis fin pour obtenir une préparation lisse.
6. Rectifier l'assaisonnement et servir.

PISTES HARMONIQUES DES LIQUIDES

Qui dit fenouil dit sauvignon blanc, tout comme les cépages qui lui sont complémentaires, dont : verdejo, grüner veltliner, romorantin, greco di Tufo, garganega.

 # CRÈME DE RUTABAGA À L'ANIS ÉTOILÉ

ASTUCE AROMATIQUE

L'anis étoilé étant sur la même piste aromatique que le rutabaga, cette recette s'inspire de la crème de rutabaga au clou de girofle (voir recette, page 49).

INGRÉDIENTS

1 oignon jaune, haché
1 blanc de poireau, haché
15 ml (1 c. à soupe) d'huile végétale
15 g (1 c à soupe) de beurre salé
3 étoiles de badiane (anis étoilé)
3 rutabagas, épluchés et taillés en cubes
2 litres (8 tasses) de bouillon de bœuf
60 ml (¼ tasse) de crème 35 %
Sel

PRÉPARATION

1. Dans une grande casserole à fond épais, faire suer (sans coloration) l'oignon et le blanc de poireau, à feu doux, dans l'huile et le beurre.

2. Ajouter les étoiles de badiane concassées. Faire revenir.

3. Ajouter les rutabagas. Mouiller avec le bouillon de bœuf. Porter à ébullition et cuire pendant 15 à 20 minutes.

4. À la fin de la cuisson, ajouter la crème et faire bouillir. Aux premiers frémissements, retirer du feu et mixer à l'aide d'un mélangeur à main .

5. Passer au tamis fin pour retirer les éclats de badiane.

6. Rectifier l'assaisonnement et servir.

PISTES HARMONIQUES DES LIQUIDES

Qui dit anis étoilé dit aussi sauvignon blanc, tout comme les cépages qui lui sont complémentaires, dont : verdejo, grüner veltliner, romorantin, greco di Tufo, garganega, mais dit aussi vin rouge de syrah/shiraz ! C'est que l'anis étoilé est en synergie avec les vins rouges de ce cépage, en plus de leur donner de la longueur en fin de bouche. Ainsi, les petites syrahs de tous les jours deviennent presque de grandes syrahs des jours de fête.

MENTHE

CRÈME DE RUTABAGA À LA MENTHE

ASTUCE AROMATIQUE

La menthe étant sur la même piste aromatique que le rutabaga et que tous les légumes-racines, cette recette s'inspire de la crème de rutabaga au clou de girofle (voir recette, page 49).

INGRÉDIENTS

1 oignon jaune, haché
1 blanc de poireau, haché
15 ml (1 c. à soupe) d'huile végétale
15 g (1 c. à soupe) de beurre salé

3 rutabagas, épluchés et taillés en cubes
2 litres (8 tasses) de bouillon de bœuf
60 ml (¼ tasse) de crème 35 %
½ bouquet de menthe fraîche, effeuillé
Sel

PRÉPARATION

1. Dans une grande casserole à fond épais, faire suer (sans coloration) l'oignon et le blanc de poireau, à feu doux, dans l'huile et le beurre.
2. Ajouter les rutabagas. Mouiller avec le bouillon de bœuf. Porter à ébullition et cuire pendant 15 à 20 minutes.
3. À la fin de la cuisson, ajouter la crème et faire bouillir. Aux premiers frémissements, retirer du feu.
4. Ajouter la menthe fraîche et mixer à l'aide d'un mélangeur à main.
5. Passer au tamis fin pour obtenir une préparation lisse.
6. Rectifier l'assaisonnement et servir.

PISTES HARMONIQUES DES LIQUIDES

La menthe est LA piste aromatique du sauvignon blanc, tout comme des cépages qui lui sont complémentaires, dont : verdejo, grüner veltliner, romorantin, greco di Tufo, garganega.

UMAMI

 # DASHI (BOUILLON JAPONAIS)

ASTUCE AROMATIQUE

La seule façon de véritablement saisir le goût de la cinquième saveur qu'est l'umami, c'est de se cuisiner un dashi. Ce bouillon nippon vous servira pour notre éclectique Pizza à la japonaise « okonomiyaki » (voir recette, page 76).

INGRÉDIENTS

1 morceau d'algue kombu (environ 10 cm ou 4 po)
1,5 litre (6 tasses) d'eau
25 g (0,9 oz) de flocons de bonite séchée (katsuobushi)
3 g de shiitakes séchés (environ 3 tranches)
2,5 g (1 c. à thé) de lécithine de soya en poudre

PRÉPARATION

1. Essuyer l'algue. Tailler en petits morceaux.
2. Dans une casserole d'eau bouillante, plonger l'algue. Faire frémir pendant 10 minutes.
3. Ajouter les flocons de bonite et les tranches de champignons séchés.

4. Faire frémir encore 10 minutes et laisser infuser 15 minutes hors du feu et à couvert.

5. Passer au chinois et ajouter la lécithine de soya. Réserver.

PISTES HARMONIQUES DES LIQUIDES

Comment imaginer un instant réussir l'accord à la perfection avec un bouillon d'algues japonaises? La synergie des différents aliments, tous riches en saveur umami, résulte en un ensemble pénétrant, qui, si le vin choisi est tout aussi riche en umami, permet d'atteindre le nirvana harmonique. Pour réussir l'osmose ici, il faut soit un vin blanc élevé longuement en barriques et sur lies – par la présence d'acides aminés dans les lies, elles engendrent des saveurs umami –, comme un chardonnay australien ou une roussanne du Midi.

SARDINE/BASILIC/CÉLERI/CONCOMBRE

PANZANELLA AUX SARDINES EN MODE ANISÉ ET « GOÛT DE FROID »

ASTUCE AROMATIQUE

Un sandwich italien classique. Ici, nous avons joué la carte des aliments à goût anisé et au « goût de froid », question de rendre la sardine encore plus zestée de goût de froid! N'hésitez pas, comme nous l'avons fait dans la prochaine recette à préparer une version sans sardine, avec uniquement des aliments à goût anisé.

INGRÉDIENTS

1 pain ciabatta (environ 200 g/7 oz)
2 belles tomates bien mûres, épépinées et taillées en dés
1 gousse d'ail, en purée
1 branche de céleri, émincée
½ concombre libanais, demi-tranches
1 oignon rouge moyen, émincé finement
125 ml (½ tasse) de basilic frais, ciselé
30 ml (2 c. à soupe) de vinaigre de xérès
60 ml (¼ tasse) d'huile d'olive extra-vierge
2 boîtes de sardines à l'huile
Fleur de sel

PRÉPARATION

1. Tailler le pain dans le sens de la longueur, retirer la mie (conserver pour un autre usage) et tailler le pain en dés. Passer rapidement les dés de pain au four pour les rendre croustillants. Réserver.

2. Dans un grand saladier, mélanger tous les ingrédients, à part le pain et les sardines.

3. Égoutter les sardines et lever les filets pour en retirer l'arrête centrale. Réserver.

4. Ajouter les dés de pain refroidis, et les filets de sardines concassés grossièrement.

5. Remuer délicatement pour conserver l'aspect de salade.

6. Saupoudrer de fleur de sel et déguster.

PISTES HARMONIQUES DES LIQUIDES

Il faut à la fois un vin qui résonne en mode anisé et « goût de froid », et d'une tonalité semblable à la fraîcheur marine des sardines. Ce à quoi répondent les vins de sauvignon blanc, plus particulièrement les cuvées les plus riches des terroirs de Sancerre et de Pouilly-Fumé.

BASILIC/CÉLERI/CONCOMBRE

PANZANELLA EN MODE ANISÉ

ASTUCE AROMATIQUE

Notre version de ce classique sandwich italien, ici avec uniquement des aliments à goût anisé et à « goût de froid ».

INGRÉDIENTS

1 pain ciabatta (environ 200 g/7 oz)
2 belles tomates bien mûres, épépinées et taillées en dés
1 gousse d'ail, en purée
1 branche de céleri, émincée
½ concombre libanais, en demi-tranches
1 oignon rouge moyen, émincé finement
125 ml (½ tasse) de basilic frais, ciselé
30 ml (2 c. à soupe) de jus de citron vert
60 ml (¼ tasse) d'huile d'olive extra-vierge
1 betterave jaune, en fines tranches
½ bouquet d'aneth
2 boîtes de sardines à l'huile
Fleur de sel

PRÉPARATION

1. Tailler le pain dans le sens de la longueur, retirer la mie (conserver pour un autre usage) et tailler le pain en dés. Passer rapidement les dés de pain au four pour les rendre croustillants. Réserver.

2. Dans un grand saladier, mélanger tous les ingrédients, à part le pain et les sardines.

3. Égoutter les sardines et lever les filets pour en retirer l'arrête centrale. Réserver.

4. Ajouter les dés de pain refroidis, et les filets de sardines concassés grossièrement.

5. Remuer délicatement pour conserver l'aspect de salade.

6. Saupoudrer de fleur de sel et déguster.

PISTES HARMONIQUES DES LIQUIDES

Peu importe l'origine du sauvignon blanc, tout comme des vins de cépage complémentaire à ce dernier (verdejo, romorantin, chenin blanc, garganega, greco di Tufo...), l'accord résonnera avec une fraîcheur anisée.

ÉPINARD/SHIITAKES SÉCHÉS/BONITE SÉCHÉE/KOMBU/NUOC NAM

 # SOUPE AU MISO «UMAMI»

ASTUCE AROMATIQUE

Pour saisir le goût umami, qui est la cinquième saveur, rien de mieux qu'une soupe miso nipponne. Question de renforcer ce goût, nous avons ajouté certains ingrédients aussi pourvus en saveurs umami, comme les algues, la bonite séchée, les épinards, les shiitakes séchés, la sauce de poisson et la sauce soya. La synergie est tellement forte lorsque sont réunis des aliments au goût umami que le résultat est plus grand que la somme des parties. Plusieurs autres aliments, sans être porteurs d'umami, partagent aussi le même profil aromatique que le miso. Nous vous proposons donc dans les recettes qui suivent d'autres versions avec du sésame grillé, du riz sauvage, du poivre de Guinée, du gingembre...

INGRÉDIENTS

1 morceau d'algue kombu de 5 x 5 cm (2 x 2 po)
1,25 litre (5 tasses) d'eau
6 shiitakes séchés
60 ml (¼ tasse) de flocons de bonite séchée (katsuobushi)
45 ml (3 c. à soupe) de miso (magasin asiatique)
125 ml (½ tasse) de tofu mi-ferme, en petits dés
15 ml (1 c. à soupe) de sauce de poisson (nuoc nam)
250 ml (1 tasse) de jeunes épinards
Sauce soya (au goût)

PRÉPARATION

1. Dans une grande casserole, faire bouillir l'eau. Hors du feu, ajouter le morceau d'algue, les shiitakes et les flocons de bonite. Laisser infuser pendant 1 heure.

2. Passer le mélange dans un chinois étamine. Ajouter le miso et bien le diluer dans le liquide. Faire frémir quelques minutes.

3. Ajouter tous les ingrédients en finissant par les jeunes épinards. Assaisonner de sauce soya et déguster.

 ### PISTES HARMONIQUES DES LIQUIDES

Il vous faut choisir un breuvage riche en saveur umami, comme le sont certains sakés, dont le saké Tamanohikari Omachi Junmai Daiginjo (disponible à la SAQ), ainsi que les vins blancs élevés en barriques de chêne et sur lie, comme les chardonnays du Nouveau Monde.

SOUPE AU MISO À L'HUILE DE SÉSAME GRILLÉ ET AU RIZ SAUVAGE

ASTUCE AROMATIQUE

Plusieurs autres aliments partagent le même profil aromatique que le miso de cette nipponne de soupe, notamment l'huile de sésame et le riz sauvage. Nous vous proposons cette version hautement savoureuse et parfumée.

INGRÉDIENTS

125 ml (½ tasse) de riz sauvage

10 ml (2 c. à thé) d'huile de sésame grillé

1,25 litre (5 tasses) d'eau

1 morceau d'algue kombu de 5 x 5 cm (2 x 2 po)

¼ tasse de flocons de bonite séchée (katsuobushi)

45 ml (3 c. à soupe) de miso (magasin asiatique)

6 shiitakes frais, taillés en tranches

125 ml (½ tasse) de tofu mi-ferme, en petits dés

Sauce soya (au goût)

PRÉPARATION

1. Dans une petite casserole, cuire le riz sauvage à feu doux, dans 250 ml (1 tasse) d'eau. Une fois cuit, verser l'huile de sésame et couvrir. Réserver.

2. Dans une grande casserole, faire bouillir l'eau. Hors du feu, ajouter le morceau d'algue et les flocons de bonite. Laisser infuser pendant 1 heure.

3. Passer le mélange. Ajouter le miso et bien le diluer dans le liquide. Faire frémir quelques minutes.

4. Dans une poêle, faire revenir les shiitakes et les dés de tofu dans l'huile pour les colorer. Réserver

5. Ajouter tous les ingrédients.

6. Assaisonner de sauce soya et déguster.

PISTES HARMONIQUES DES LIQUIDES

Il vous faut choisir un vin ou une bière dotée d'un bon volume de bouche, et surtout d'arômes grillés/fumés/torréfiés, un brin évolués et fruités. Ce qui est le cas des vins blancs élevés en barriques de chêne et sur lie, à la manière des crus du Midi à base de roussanne, tout comme des chardonnays du Nouveau Monde, sans oublier certaines bières brunes extra-fortes.

GINGEMBRE/ÉPINARD/SHIITAKES SÉCHÉS/BONITE SÉCHÉE/KOMBU

SOUPE AU MISO ET AU GINGEMBRE

ASTUCE AROMATIQUE

Le gingembre est lui aussi sur la piste aromatique du miso. Enfin, notez que vous pourriez remplacer les petits dés de tofu de nos trois recettes de soupe au miso par un égrainé de fromage bleu roquefort, lequel partage le même mode aromatique que le miso.

INGRÉDIENTS

1,25 litre (5 tasses) d'eau
1 morceau d'algue kombu de 5 x 5 cm (2 x 2 po)
60 ml (¼ tasse) de flocons de bonite séchée (katsuobushi)
45 ml (3 c. à soupe) de miso (magasin asiatique)
1 tasse de jeunes épinards
6 shiitakes frais, en tranches
15 ml (1 c. à soupe) de gingembre frais râpé
½ tasse de tofu mi-ferme, en petits dés
Sauce soya (au goût)

PRÉPARATION

1. Dans une grande casserole, faire bouillir l'eau. Hors du feu, ajouter le morceau d'algue et les flocons de bonite. Laisser infuser pendant 1 heure.
2. Passer le mélange et ajouter le miso, bien le diluer dans le liquide et faire frémir quelques minutes.
3. Ajouter tous les ingrédients en finissant par les jeunes épinards.
4. Assaisonner de sauce soya et déguster.

PISTES HARMONIQUES DES LIQUIDES

Les mêmes choix que ceux proposés dans la précédente recette de soupe au miso à l'huile de sésame grillé et au riz sauvage, et si vous avez la main forte sur le gingembre, optez pour un très aromatique gewurztraminer ou une tout aussi parfumée malvasia.

CITROUILLE

SOUPE 92 % CITROUILLE !

ASTUCE AROMATIQUE

Inspirés d'une version classique de soupe à la citrouille, nous avons ici utilisé tant la chair que les graines et l'huile de graines, d'où le 92 % ! Nous vous proposons aussi d'autres versions (voir les recettes suivantes) où quelques ingrédients complémentaires sont de la partie.

INGRÉDIENTS

30 ml (2 c. à soupe) d'huile de graines de citrouille
(vendue dans le commerce)

2 oignons jaunes moyens, hachés finement

1 litre (4 tasses) de chair de citrouille, en dés

1 pomme de terre, en dés

2 litres (8 tasses) de bouillon de poulet

125 ml (½ tasse) de crème 35 %

Sel (au goût)

125 ml (½ tasse) de graines de citrouille au sel concassées
(voir recette, page 190).

PRÉPARATION

1. Dans une grande casserole, faire revenir les oignons dans l'huile de citrouille quelques minutes.

2. Ajouter la chair de citrouille et la pomme de terre. Les enrober dans l'huile, puis verser le bouillon de volaille et la crème 35 %.

3. Couvrir et laisser mijoter pendant 25 minutes à feu moyen.

4. Passer au mélangeur à main et rectifier l'assaisonnement en sel.

5. Servir la soupe dans des assiettes creuses. Au dernier moment, parsemer de graines de citrouille au sel concassées.

6. Verser un filet d'huile de citrouille et déguster.

PISTES HARMONIQUES DES LIQUIDES

La piste aromatique de la citrouille se trouve dans les vins de cépages « dits » aromatiques, comme le sont ceux de vidal, ainsi que de gewurztraminer, chenin blanc, malvasia et muscat, et ce, qu'ils soient secs, doux, moelleux ou liquoreux.

CAROTTE/CURCUMA/CITROUILLE

SOUPE À LA CITROUILLE ET CAROTTES AU CURCUMA

ASTUCE AROMATIQUE

Comme les aliments complémentaires à la citrouille sont la carotte, le curcuma, le curry, les épinards, les fleurs comestibles, le jaune d'œuf, le maïs, l'oseille, la peau de poulet et, bien sûr, les graines de citrouille et l'huile de graines de citrouille, multiples sont les possibilités de transformation de notre recette de base, la Soupe 92 % citrouille (voir recette, page 58). Ici, c'est le duo carotte et curcuma qui entre en synergie aromatique avec la citrouille.

INGRÉDIENTS

30 g (2 c. à soupe) de beurre

2 oignons jaunes moyens, hachés finement

1 litre (4 tasses) de chair de citrouille, en dés
2 carottes moyennes, en dés
2 litres (8 tasses) de bouillon de poulet
375 ml (1 ½ tasse) de crème 35 %
Sel (au goût)
5 ml (1 c. à thé) de curcuma en poudre

PRÉPARATION

1. Dans une grande casserole, faire revenir les oignons dans le beurre quelques minutes.
2. Ajouter la citrouille et les carottes. Les enrober dans le beurre, puis verser le bouillon de volaille et la crème 35%.
3. Couvrir et laisser mijoter pendant 25 minutes à feu moyen.
4. Passer au mélangeur à main et rectifier l'assaisonnement en sel. Ajouter le curcuma et déguster.

PISTES HARMONIQUES DES LIQUIDES

La piste aromatique de la citrouille se trouve dans les vins de cépages « dits » aromatiques, comme le sont ceux de vidal, ainsi que de gewurztraminer, chenin blanc, malvasia et muscat, et ce, qu'ils soient secs, doux, moelleux ou liquoreux.

CURRY/CITROUILLE

SOUPE À LA CITROUILLE ET CURRY

ASTUCE AROMATIQUE

Comme les aliments complémentaires à la citrouille sont la carotte, le curcuma, le curry, les épinards, les fleurs comestibles, le jaune d'œuf, le maïs, l'oseille, la peau de poulet et, bien sûr, les graines de citrouille et l'huile de graines de citrouille, multiples sont les possibilités de transformation de notre recette de base, la Soupe 92 % citrouille (voir recette, page 58). Ici, c'est le curry qui entre en synergie aromatique avec la citrouille.

INGRÉDIENTS

30 g (2 c. à soupe) de beurre
2 oignons jaunes moyens, hachés finement
1 litre (4 tasses) de chair de citrouille, en dés
1 pomme de terre, en dés
2 litres (8 tasses) de bouillon de poulet
375 ml (1 ½ tasse) de crème 35 %
Sel (au goût)
7,5 ml (1 ½ c. à thé) de curry en poudre

PRÉPARATION

1. Dans une grande casserole, faire revenir les oignons dans le beurre quelques minutes.
2. Ajouter la citrouille et la pomme de terre. Les enrober dans le beurre, puis verser le bouillon de volaille et la crème 35 %.
3. Couvrir et laisser mijoter pendant 25 minutes à feu moyen.
4. Passer au mélangeur à main et rectifier l'assaisonnement en sel. Ajouter le curry et déguster.

PISTES HARMONIQUES DES LIQUIDES

La piste aromatique de la citrouille se trouve dans les vins de cépages « dits » aromatiques, comme le sont ceux de vidal, ainsi que de gewurztraminer, chenin blanc, malvasia et muscat, et ce, qu'ils soient secs, doux, moelleux ou liquoreux.

ÉPINARD/MAÏS/CITROUILLE

 # SOUPE À LA CITROUILLE ET MAÏS, PESTO D'ÉPINARDS AUX GRAINES DE CITROUILLE

ASTUCE AROMATIQUE

Comme les aliments complémentaires à la citrouille sont la carotte, le curcuma, le curry, les épinards, les fleurs comestibles, le jaune d'œuf, le maïs, l'oseille, la peau de poulet et, bien sûr, les graines de citrouille et l'huile de graines de citrouille, multiples sont les possibilités de transformation de notre recette de base, la Soupe 92 % citrouille (voir recette, page 58). Ici, c'est le maïs et l'original pesto d'épinards qui entrent en synergie aromatique avec la citrouille.

INGRÉDIENTS

30 g (2 c. à soupe) de beurre
2 oignons jaunes moyens, hachés finement
1 litre (4 tasses) de chair de citrouille, en dés
250 ml (1 tasse) de maïs en grains
1 petite pomme de terre, en dés
2 litres (8 tasses) de bouillon de poulet
375 ml (1 ½ tasse) de crème 35 %
Sel (au goût)
Pesto d'épinards aux graines de citrouille (voir recette, page 185).

PRÉPARATION

1. Dans une grande casserole, faire revenir les oignons dans le beurre quelques minutes.
2. Ajouter la citrouille, le maïs et la pomme de terre. Les enrober dans le beurre, puis verser le bouillon de volaille et la crème 35 %.
3. Couvrir et laisser mijoter pendant 25 minutes à feu moyen.

4. Passer au mélangeur à main et rectifier l'assaisonnement en sel.

5. Verser la soupe dans des assiettes creuses. Déposer dans chacune une cuillère de pesto d'épinards aux graines de citrouille.

6. Déguster.

PISTES HARMONIQUES DES LIQUIDES

La piste aromatique de la citrouille se trouve dans les vins de cépages « dits » aromatiques, comme le sont ceux de vidal, ainsi que de gewurztraminer, chenin blanc, malvasia et muscat, et ce, qu'ils soient secs, doux, moelleux ou liquoreux.

CANNELLE/GIROFLE

SOUPE DE NAVETS AU CLOU DE GIROFLE ET CANNELLE

ASTUCE AROMATIQUE

Le navet fait partie des aliments à goût anisé, une piste qui nous conduit au clou de girofle. De cette sensuelle épice, il n'y a qu'un pas à franchir pour fusionner avec la chaude cannelle...

INGRÉDIENTS

15 g (1 c. à soupe) de beurre salé
30 ml (2 c. à soupe) d'huile d'olive
1 gros oignon jaune, haché finement
1 kg (2 lb) de navets blancs (rabioles), en cubes
2 pommes de terre moyennes, en cubes
750 ml (3 tasses) de bouillon de volaille clair
250 ml (1 tasse) de crème 35 %
60 ml (¼ tasse) de miel
1 bâton de cannelle
5 ml (1 c. à thé) de clou de girofle moulu
Sel

PRÉPARATION

1. Dans une grande casserole, faire fondre le beurre dans l'huile et faire suer l'oignon jusqu'à ce qu'il soit translucide. Ajouter les navets et les pommes de terre. Verser le bouillon de volaille et la crème, le miel et le bâton de cannelle. Couvrir et cuire à feu moyen pendant 35 minutes.

2. À la fin de la cuisson, retirer le bâton de cannelle et ajouter le clou moulu. Mixer à l'aide d'un mélangeur à main, en prenant soin de retirer du bouillon, s'il le faut, pour obtenir la texture désirée.

3. Rectifier l'assaisonnement en sel et servir.

PISTES HARMONIQUES DES LIQUIDES

Cette soupe fait fureur tant avec un fumé blanc légèrement boisé, qu'avec un rouge australien de shiraz et qu'avec une pénétrante bière de type india pale ale.

VELOUTÉ DE COURGETTES VERTES AUX ÉPINARDS

ASTUCE AROMATIQUE

Les épinards sont sur la même piste aromatique que les courgettes, ainsi que l'oseille, la rhubarbe, la betterave, le thé, la blette, la roquette, les haricots verts et la noisette. À vous de jouer !

INGRÉDIENTS

15 g (1 c. à soupe) de beurre salé
30 ml (2 c. à soupe) d'huile d'olive
3 oignons jaunes moyens, finement hachés
2 pommes de terre moyennes, taillées en dés
3 litres (12 tasses) de bouillon de volaille clair
500 ml (2 tasses) de crème 35 %
5 courgettes, lavées et taillées en dés
500 g (1 lb) de jeunes épinards
Sel

PRÉPARATION

1. Dans une grande casserole, faire fondre le beurre dans l'huile, puis y faire revenir les oignons sans coloration. Ajouter les pommes de terre et les faire revenir quelques minutes. Verser le bouillon de volaille et la crème 35 %, et porter à ébullition. Couvrir et laisser bouillir jusqu'à ce que les pommes de terre soient cuites. Ajouter les courgettes et cuire environ 10 minutes.

2. Dans le bol d'un batteur électrique, déposer une partie des jeunes épinards et y verser le bouillon chaud. Mixer pour réduire le tout en velouté. Répéter l'opération avec toute la préparation.

3. Juste avant de servir, faire chauffer le velouté, sans le faire bouillir, pour ne pas en altérer la couleur.

4. Rectifier l'assaisonnement en sel et servir.

PISTES HARMONIQUES DES LIQUIDES

Cette piste aromatique est aussi celle des vins de sauvignon blanc, tout comme ceux des cépages complémentaires à ce dernier, tels les vins de grüner veltliner, de romorantin, de greco di Tufo et de verdejo.

GNOCCHIS DE PATATES DOUCES

ASTUCE AROMATIQUE

La patate douce permet de cuisiner des gnocchis d'une onctuosité unique, mais aussi de créer d'autres versions avec les aliments complémentaires à ce végétal riche en bêtacarotène, comme nous vous le proposons dans les recettes suivantes avec le pimentón fumé, le paprika, le sésame grillé, le safran. Pour accompagner ces gnocchis, osez-les avec une sauce à base de tomates, parfumée à la lavande – tous deux sur la piste aromatique de la patate douce.

INGRÉDIENTS

5 patates douces
½ du poids de la purée de patates douces en farine blanche
1 jaune d'œuf
Sel, poivre

PRÉPARATION

1. Préchauffer le four à 160 °C (325 °F).
2. Sur une plaque à pâtisserie, déposer un lit de gros sel pour former une couche uniforme, y placer les patates et enfourner jusqu'à ce qu'elles soient cuites, *soit lorsque la pointe d'un couteau pénètre facilement leur chair.*
3. Tailler les patates en deux, retirer la pulpe au-dessus d'un saladier et réduire en purée à l'aide d'un pilon.
4. Peser la purée et ajouter la moitié de son poids en farine. Mélanger à la spatule de bois, et ajouter l'œuf. Saler et déposer la pâte sur le plan de travail généreusement fariné.
5. Façonner à la main de petits boudins.
6. À l'aide d'un petit couteau, tailler des gnocchis. *Vous pourriez aussi les former à la fourchette.*
7. Déposer les gnocchis sur une tôle bien farinée.
8. Plonger les gnocchis dans une grande casserole d'eau bouillante salée. Lorsqu'ils remontent à la surface, compter environ 1 minute, ils sont cuits.

PISTES HARMONIQUES DES LIQUIDES

Le chardonnay non boisé est l'ami, pour ne pas dire le frère, de la patate douce.

GNOCCHIS DE PATATES DOUCES AU SAFRAN

ASTUCE AROMATIQUE

Le safran partage son profil aromatique avec celui de la patate douce. Pour accompagner ces gnocchis, osez-les avec une sauce à base de tomates, parfumée à la lavande – tous deux sur la piste aromatique de ce tubercule orangé.

INGRÉDIENTS

5 patates douces
½ du poids de la purée de patates douces en farine blanche
1 jaune d'œuf
5 ml (1 c. à thé) de safran en poudre
Sel, poivre

PRÉPARATION

1. Préchauffer le four à 160 °C (325 °F).
2. Sur une plaque à pâtisserie, déposer un lit de gros sel pour former une couche uniforme, y placer les patates douces et enfourner jusqu'à qu'elles soient cuites, *soit lorsque la pointe d'un couteau pénètre facilement leur chair.*
3. Tailler les patates en deux, retirer la pulpe au-dessus d'un saladier et réduire en purée à l'aide d'un pilon.
4. Peser la purée et ajouter la moitié de son poids en farine. Mélanger à la spatule de bois, et ajouter l'œuf et le safran. Saler et déposer la pâte sur le plan de travail généreusement fariné.
5. Façonner à la main de petits boudins.
6. À l'aide d'un petit couteau, tailler des gnocchis. *Vous pourriez aussi les former à la fourchette.*
7. Déposer les gnocchis sur une tôle bien farinée.
8. Plonger les gnocchis dans une grande casserole d'eau bouillante salée. Lorsqu'ils remontent à la surface, compter environ 1 minute, ils sont cuits.

PISTES HARMONIQUES DES LIQUIDES

La synergie safran et patate douce résonne sur le même mode qu'un riesling du Nouveau Monde.

GNOCCHIS DE PATATES DOUCES AU PIMENTÓN FUMÉ

ASTUCE AROMATIQUE

Le pimentón fumé partage aussi une partie de son profil aromatique avec celui de la patate douce. Pour accompagner ces gnocchis, osez-les avec une sauce à base de tomates, parfumée à la lavande – tous deux sur la piste aromatique de ce tubercule orangé.

INGRÉDIENTS

5 patates douces
½ du poids de la purée de patates douces en farine blanche
15 ml (1 c. à soupe) de pimentón fumé
1 jaune d'œuf
Sel, poivre

PRÉPARATION

1. Préchauffer le four à 160 °C (325 °F).
2. Sur une plaque à pâtisserie, déposer un lit de gros sel pour former une couche uniforme, y placer les patates et enfourner jusqu'à qu'elles soient cuites, *soit lorsque la pointe d'un couteau pénètre facilement leur chair.*
3. Tailler les patates en deux, retirer la pulpe au-dessus d'un saladier et réduire en purée à l'aide d'un pilon.
4. Peser la purée et ajouter la moitié de son poids en farine. Ajouter le pimentón fumé, mélanger à la spatule de bois, et ajouter l'œuf. Saler et déposer la pâte sur le plan de travail généreusement fariné.
5. Façonner à la main de petits boudins.
6. À l'aide d'un petit couteau, tailler des gnocchis. *Vous pourriez aussi les former à la fourchette.*
7. Déposer les gnocchis sur une tôle bien farinée.
8. Plonger les gnocchis dans une grande casserole d'eau bouillante salée. Lorsqu'ils remontent à la surface, compter environ 1 minute, ils sont cuits.

PISTES HARMONIQUES DES LIQUIDES

La synergie pimentón fumé et pomme de terre douce est celle des vins de fumé blanc boisé du Nouveau Monde.

GNOCCHIS DE PATATES DOUCES À L'HUILE DE SÉSAME GRILLÉ

ASTUCE AROMATIQUE

Tout comme le safran et le pimentón fumé des deux précédentes recettes, l'huile de sésame grillé partage aussi une partie de son profil aromatique avec la patate douce. Pour accompagner ces gnocchis, osez-les avec une sauce à base de tomates parfumée à la lavande – tous deux sur la piste aromatique de ce tubercule orangé.

INGRÉDIENTS

5 patates douces
½ du poids de la purée de patates douces en farine blanche
1 jaune d'œuf
5 ml (1 c. à thé) d'huile de sésame grillé
Sel, poivre

PRÉPARATION

1. Préchauffer le four à 160 °C (325 °F).
2. Sur une plaque à pâtisserie, déposer un lit de gros sel pour former une couche uniforme, y placer les patates et enfourner jusqu'à qu'elles soient cuites, *soit lorsque la pointe d'un couteau pénètre facilement leur chair.*
3. Tailler les patates en deux, retirer la pulpe au-dessus d'un saladier et réduire en purée à l'aide d'un pilon.
4. Peser la quantité de purée et ajouter la moitié de son poids en farine. Mélanger à la spatule de bois, et ajouter l'œuf et l'huile de sésame grillé. Saler et déposer la pâte sur le plan de travail généreusement fariné.
5. Façonner à la main de petits boudins.
6. À l'aide d'un petit couteau, tailler des gnocchis. *Vous pourriez aussi les former à la fourchette.*
7. Déposer les gnocchis sur une tôle bien farinée.
8. Plonger les gnocchis dans une grande casserole d'eau bouillante salée. Lorsqu'ils remontent à la surface, compter environ 1 minute, ils sont cuits.

PISTES HARMONIQUES DES LIQUIDES

Qui dit sésame grillé dit aussi champagne, mais aussi chardonnay non boisé, riesling et fumé blanc boisé – qui sont les autres propositions des précédentes recettes de gnocchis de patates douces.

LASAGNE D'AGNEAU SAUCE TOMATE À LA SYRAH, PÂTES AUX OLIVES NOIRES

ASTUCE AROMATIQUE

Il fallait s'amuser à complexifier la lasagne, en partant sur la piste de l'agneau, qui, elle, nous conduit vers ses ingrédients complémentaires que sont l'olive noire, le poivre et le thym, ainsi que les vins de syrah/shiraz.

INGRÉDIENTS

30 ml (2 c. à soupe) d'huile d'olive
2 poivrons rouges, en dés
1 oignon jaune, haché finement
3 gousses d'ail, hachées finement
1 kg (2 lb) d'agneau mi-maigre, haché
30 ml (2 c. à table) de pâte de tomates
250 ml (1 tasse) de syrah ou de shiraz
½ bouquet de thym frais, haché
2 clous de girofles, réduits en poudre
1 boîte (796 ml/28 oz) de tomates en dés
5 ml (1 c. à thé) de poivre fraîchement moulu
Sel
Pâtes alimentaires aux olives noires (voir recette, page 71).

PRÉPARATION

1. Préchauffer le four à 180 °C (350 °F).
2. **Sauce.** Dans une grande casserole en fonte émaillée, chauffer l'huile d'olive et faire blondir les légumes. Les retirer et réserver.
3. Dans la même casserole, colorer l'agneau, en remuant fréquemment pour uniformiser la cuisson.
4. Lorsque l'agneau est bien coloré, remettre les légumes et continuer la cuisson quelques minutes. Ajouter la pâte de tomates et remuer.
5. Déglacer avec le vin rouge et réduire de moitié. Ajouter le thym, les épices, les tomates en dés avec leur jus. Saler et poivrer.
6. Couvrir et mettre au four environ 1 heure.
7. **Lasagne.** Intercaler les pâtes alimentaires aux olives noires et la sauce à l'agneau, en commençant par celle-ci. Terminer en saupoudrant de fromage, enfourner
et faire gratiner.

PISTES HARMONIQUES DES LIQUIDES

Ne cherchez plus et sortez vos syrahs ou shiraz préférées.

LASAGNE DE CHILI DE CINCINNATI

ASTUCE AROMATIQUE

Inspirés par les parfums de notre chili de Cincinnati (voir recette suivante) dominé par le profil aromatique du clou de girofle, que nous avons aussi transformé en un succulent rôti de palette (voir recette, page 121). Vous pourriez faire cette même lasagne avec notre chili de « TofuNati », version sans viande.

INGRÉDIENTS

1 kg (2 lb) de chili con carne sans haricots (voir recette suivante)
10 clous de girofle entiers
1 kg (2 lb) de pâtes de maïs (dans le rayon sans gluten des épiceries santé)
150 g (5 oz) de ricotta, ou de fromage cottage
30 ml (2 c. à soupe) d'huile d'olive
Sel et poivre
100 g (3 ½ oz) de mozzarella râpée
Basilic thaï frais, haché

PRÉPARATION

1. Dans une grande casserole, faire chauffer le chili à basse température, pour qu'il n'accroche pas.
2. Dans une grande casserole d'eau bouillante salée, ajouter les clous de girofle et cuire les pâtes de maïs (ou de blé) en suivant les instructions indiquées sur l'emballage. Les égoutter et les huiler.
3. Préchauffer le four à 180 °C (350 °F).
4. Dans un plat à gratin, déposer une couche de chili et une couche de pâtes. À la moitié du plat, verser la ricotta. Saler et poivrer, et continuer les couches. Terminer avec le chili et parsemer de mozzarella.
5. Mettre au four et cuire 20 à 30 minutes.
6. Finir la cuisson sous le gril, pour bien gratiner le fromage.
7. Avant de servir, saupoudrer le basilic sur la lasagne.

CHILI DE CINCINNATI

INGRÉDIENTS

2 gros oignons jaunes, hachés
2 branches de céleri, en dés
30 ml (2 c. à soupe) d'huile d'olive
800 g (1 ½ lb) de bœuf haché extra-maigre
7,5 g (1 ½ c. à thé) de sel de mer
5 ml (1 c. à thé) de cannelle moulue
7, 5 ml (1 ½ c. à thé) de clou de girofle moulu

22,5 ml (1 ½ c. à soupe) de poudre de chili
5 g (1 c. à thé) de quatre-épices
30 g (2 c. à soupe) de pâte de tomates
1 grosse boîte (796 ml/28 oz) de tomates en dés, égouttées
750 ml (3 tasses) de bouillon de bœuf sans sel
15 ml (1 c. à soupe) de sauce anglaise Worcestershire
1 feuille de laurier
7,5 g (1 ½ c. à thé) de cassonade

PRÉPARATION

1. Préparer le chili. Préchauffer le four à 150 °C (300 °F).

2. Dans une grande casserole à fond épais, faire revenir les oignons et le céleri dans l'huile d'olive.

3. Ajouter le bœuf haché aux légumes et faire colorer. Ajouter le sel, la cannelle, le clou de girofle, la poudre de chili et le quatre-épices. Remuer et continuer la cuisson quelques minutes.

4. Ajouter le concentré de tomates et faire revenir en remuant. Ajouter les

5. tomates en dés, le bouillon de bœuf, la sauce Worcestershire, la feuille de laurier et la cassonade. Enfourner et faire mijoter pendant 45 minutes. Rectifier l'assaisonnement.

PISTES HARMONIQUES DES LIQUIDES

Vins rouges solaires et élevés en barriques : rioja/ribera del duero/bierzo/cariñena/petite sirah/zinfandel.

OLIVE NOIRE/POIVRE

 # PÂTES ALIMENTAIRES AUX OLIVES NOIRES

ASTUCE AROMATIQUE

Ici, ce n'est pas le plat de pâtes, mais bel et bien la pâte alimentaire que nous vous proposons de parfumer aux olives noires, question de créer une forte synergie avec les vins rouges de syrah ou de shiraz que vous servirez. Cuisiner ces pâtes soit avec des olives noires (comme dans notre recette de *Papilles pour tous! Automne*), soit avec d'autres ingrédients complémentaires à l'olive noire comme l'agneau, le thym, l'orange...

INGRÉDIENTS

200 g (1 ¾ tasse) de farine blanche
2 œufs entiers
15 ml (1 c. à table) de sable d'olives noires (voir recette suivante)
2,5 ml (½ c. à thé) de sel de mer fin

PRÉPARATION

1. Tamiser la farine dans le bol d'un malaxeur. Creuser un puits, ajouter les œufs, le sable d'olives noires et le sel. Mélanger avec le crochet jusqu'à l'obtention d'une pâte bien lisse.

2. Sortir la pâte et l'envelopper d'une pellicule plastique. Laisser reposer au moins 1 heure au réfrigérateur avant l'emploi.

3. Retirer la pâte de son enveloppe et la diviser en quatre afin de l'abaisser plus facilement dans le laminoir à pâtes.

4. Passer la pâte dans le laminoir au moins 3 fois en prenant soin de la plier pour lui donner plus de texture. À ce stade, vous pouvez simplement faire des longueurs pour réaliser la lasagne à l'agneau ou bien repasser la pâte avec le gabarit pour tailler des pâtes larges.

 ## « SABLE » D'OLIVES NOIRES ET POIVRE

INGRÉDIENTS

500 g (1 lb) d'olives noires marocaines « séchées au soleil », dénoyautées
125 ml (½ tasse) d'huile d'olive
Poivre du moulin

PRÉPARATION

1. Dans une casserole, déposer les olives, puis recouvrir d'eau froide. Déposer la casserole sur le feu et porter à ébullition. Dès que l'eau frémit, égoutter les olives sans les refroidir.

2. Préchauffer le four à 120 °C (250 °F).

3. Recouvrir une plaque à biscuits d'un papier parchemin et y déposer les olives. Enfourner et laisser sécher les olives pendant 2 heures.

4. Après 2 heures, éteindre le four sans retirer les olives et les laisser refroidir.

5. Dans le bol d'un robot culinaire, déposer les olives noires séchées et l'huile d'olive, ainsi que quelques tours de moulin à poivre. Mélanger jusqu'à l'obtention d'un liquide noir onctueux.

6. Déposer un tamis très fin sur un bol, puis verser le liquide onctueux. Laisser l'huile s'égoutter pendant toute une nuit.

7. Le lendemain, réserver l'huile* qui s'est égouttée, puis déposer le marc d'olives noires sur du papier absorbant pour qu'il devienne identique à du sable.

*Pour atteindre la texture désirée, il est important de changer le papier dès qu'il se gorge d'huile.

PISTES HARMONIQUES DES LIQUIDES

Eh oui, c'est simple : de la syrah !

SAUCE À «SPAG» AUX CREVETTES

ASTUCE AROMATIQUE

Le pimentón fumé, tout comme le paprika, ainsi que les crevettes et la tomate sont tous dans la même tonalité aromatique, d'où la grande synergie de saveurs qu'ils engendrent.

INGRÉDIENTS

60 ml (¼ tasse) d'huile d'olive
1 kg (2 lb) de crevettes crues, décortiquées
15 g (1 c. à soupe) de beurre salé
2 oignons moyens, hachés finement
1 blanc de poireau, haché finement
1 branche de céleri, en dés
1 poivron rouge, en dés
3 gousses d'ail, hachées
7,5 ml (1 ½ c. à thé) de pâte de tomates
7,5 ml (1 ½ c. à thé) de pimentón fumé ou de paprika
1 boîte (796 ml/28 oz) de tomates en dés avec le jus
500 ml (2 tasses) de crème 35 %
Sel, poivre

PRÉPARATION

1. Dans une grande casserole à fond épais, faire chauffer fortement l'huile d'olive et colorer les crevettes, en plusieurs fois. Réserver

2. Dans la même casserole, fondre le beurre et faire blondir les oignons, le blanc de poireau, le céleri, le poivron rouge et l'ail.

3. Ajouter la pâte de tomates, tomates en dés avec le jus et le pimentón. Mélanger et porter à ébullition. Faire mijoter à feu doux.

4. Hacher finement les crevettes refroidies au couteau ou au robot culinaire, pour obtenir une texture semblable à celle de la chair à saucisse. Ajouter les crevettes à la sauce.

5. Cuire au four pendant 1 heure à 160 °C (325 °F).

6. À la sortie du four, remettre la casserole sur le feu. Ajouter la crème et porter à ébullition. Rectifier l'assaisonnement et servir.

PISTES HARMONIQUES DES LIQUIDES

Plusieurs choix se situent dans la zone de confort harmonique des crevettes et des aliments qui leurs sont complémentaires : fumé blanc, xérès fino, champagne, vin rosé, bière india pale ale.

PÂTE À PIZZA AU CLOU DE GIROFLE « POUR AMATEUR DE VIN ROUGE »

ASTUCE AROMATIQUE

L'idée est de parfumer la pâte à pizza afin qu'elle soit en synergie avec les vins rouges élevés en barriques de chêne, ainsi qu'avec des garnitures complémentaires au girofle, comme le bœuf, la viande des Grisons, le fromage mozzarella, le basilic thaï, l'asperge verte rôtie, le cinq-épices, la fraise, la noix de coco grillée, le romarin, le scotch ou la vanille. Libre à vous de créer votre pizza pour amateur de vin rouge !

INGRÉDIENTS

310 ml (1 ¼ tasse) d'eau tiède
15 ml (1 c. à soupe) de sucre
15 ml (1 c. à soupe) de levure sèche
345 g (3 tasses) de farine blanche
10 ml (2 c. à thé) de clou de girofle en poudre
7,5 ml (1 ½ c. à thé) de sel de mer fin
45 ml (3 c. à soupe) d'huile d'olive

PRÉPARATION

1. Dans un petit bol, mélanger l'eau tiède, le sucre et la levure, et attendre que le mélange fasse des bulles en surface.

2. Dans le bol du malaxeur, déposer la farine, le clou de girofle et le sel. Verser la levure et l'huile. Pétrir le mélange jusqu'à ce que la pâte devienne élastique.

3. Couvrir le bol contenant la pâte d'un linge propre et la laisser lever jusqu'à ce qu'elle ait doublé de volume.

4. Remettre la pâte à pétrir quelques minutes pour la dégonfler. Recouvrir de nouveau et laisser redoubler de volume.

5. Séparer la pâte en deux et chemiser deux plaques à biscuits. Garnir au goût avec les aliments complémentaires au clou de girofle (voir *Astuce aromatique* en début de recette).

PISTES HARMONIQUES DES LIQUIDES

Vins rouges solaires et élevés en barriques : rioja/ribera del duero/bierzo/cariñena/petite sirah/zinfandel...

PIZZA À LA JAPONAISE «OKONOMIYAKI»

ASTUCE AROMATIQUE

Quand vous avez connu le Japon, comme ma femme et moi l'avons découvert lors de nos trois périples en sol nippon, et comme Stéphane l'a fait plus récemment, cette hallucinante crêpe vous hante la vie durant… Voici donc notre version en mode «pizza», où se rencontrent les flocons de bonite et la truffe blanche qui partagent les mêmes composés volatils. J'ai d'ailleurs eu le bonheur de proposer cette découverte bonite/truffe (que j'ai faite au fil de mes recherches harmoniques) avec Ferran Adrià, lors de mes séjours de travail dans les cuisines du restaurant elBulli, où son équipe et lui ont transformé ce duo inattendu en une composition tout aussi hallucinante !

INGRÉDIENTS

PÂTE À OKONOMYAKI*

150 g (1 ⅓ tasse) de farine blanche
5 ml (1 c. à thé) de poudre à lever
1 œuf entier
200 ml (⅘ tasse) de dashi
2 bok choy, hachés finement
Sel de mer

GARNITURE

1 noisette de beurre
1 barquette (8 oz) de shiitakes, émincés
187,5 ml (¾ tasse) de mayonnaise
15 ml (1 c. à soupe) d'huile de truffe blanche
12 crevettes blanches d'eau douce, décortiquées et déveinées
4 escalopes de foie gras frais de 80 g (2,8 oz) chacune
125 ml (½ tasse) de sauce hoisin
125 ml (½ tasse) de flocons de bonite séchée (katsuobushi)

PRÉPARATION

PÂTE À OKONOMYAKI

1. Préparer un dashi (voir recette, page 53), puis le laisser refroidir.
2. Dans un bol à mélanger, verser la farine et la poudre à lever. Former une fontaine au milieu du bol, casser l'œuf dans le centre de la fontaine et verser une petite quantité de dashi, puis mélanger à l'aide d'un fouet. Toujours en remuant, ajouter progressivement le reste du dashi jusqu'à l'obtention d'une pâte bien lisse et sans grumeaux. Ajouter les bok choy et mélanger. Saler et recouvrir d'une pellicule plastique et réserver au réfrigérateur.

GARNITURE

1. Dans une petite poêle, déposer une noisette de beurre et faire revenir les shiitakes. Assaisonner, puis réserver.
2. Dans un petit bol à mélanger, verser la mayonnaise et incorporer l'huile de truffe blanche à l'aide d'un fouet. Recouvrir d'une pellicule plastique et réserver au réfrigérateur.

OKONOMYAKI

1. Dans deux grandes poêles, verser un peu d'huile végétale et laisser chauffer. Verser 3 petits cercles de pâte de 5 cm (2 po) de diamètre dans chacune des poêles et laisser cuire. Déposer 2 crevettes et les shiitakes sur chacune des crêpes, et cuire jusqu'à ce que le dessous des crêpes soit bien coloré. Retourner et colorer l'autre surface. Au besoin, passer les crêpes dans un four bien chaud pour les cuire uniformément.
2. Pendant ce temps, faire chauffer une poêle à blanc (sans matière grasse) et déposer les escalopes de foie gras pour les colorer uniformément sur les deux faces. Déposer sur une assiette et laisser reposer pour que la cuisson puisse se terminer sans source de chaleur.

FINITION

1. Dans le fond de chaque assiette de service, badigeonner une mince couche de sauce hoisin et y déposer une crêpe. Déposer ensuite une escalope de foie gras (que vous aurez réchauffée rapidement dans un four très chaud), puis ajouter 5 ml (1 c. à thé) de mayonnaise à l'huile de truffe. Saupoudrer de flocons de bonite et déguster.

*Les okonomyaki sont des crêpes japonaises.

PISTES HARMONIQUES DES LIQUIDES

Seuls les vins blancs d'une très grande minéralité, sans pour autant être dénués de profondeur et de corps, comme les grandes cuvées de Sancerre, peuvent entrer en synergie aromatique avec le duo bonite/truffe blanche.

BASILIC THAÏ/GIROFLE/MOZZARELLA/VIANDE DES GRISONS

PIZZA «FULL EUGÉNOL»

ASTUCE AROMATIQUE

L'eugénol est en fait le nom du composé aromatique qui signe l'identité du clou de girofle, et que l'on retrouve aussi dans le basilic thaï, la mozzarella et la viande des Grisons. Ce qui donne une pizza « full girofle » !

INGRÉDIENTS

1 boule de pâte à pizza au clou de girofle (voir recette, page 75)
125 ml (½ tasse) de concassé de tomates, cuit longuement
4 tranches de viande des Grisons
1 boule de mozzarella fraîche, en fines tranches
15 ml (1 c. à soupe) de miel
Basilic thaï frais, haché grossièrement

PRÉPARATION

1. Préchauffer le four à 190 °C (375 °F).
2. Étendre la pâte sur un plan de travail fariné, la déposer sur une tôle en métal et y étaler le concassé de tomates.
3. Disposer les tranches de viande des Grisons, puis les tranches de mozzarella sur la pizza.
4. Arroser la pizza de miel et enfourner de 25 à 35 minutes sur l'étage du milieu.
5. Retirer du four et parsemer la pizza de basilic thaï avant de servir.

PISTES HARMONIQUES DES LIQUIDES

Qui dit «full girofle» dit aussi «full vins élevés en barriques de chêne». Plus particulièrement le chardonnay du Nouveau Monde, pour les blancs, et les rouges de grenache, de mencia et de tempranillo.

OUTSIDE CUT DE BŒUF GRILLÉ/TOMATE SÉCHÉE

PIZZA AU PESTO DE TOMATES SÉCHÉES ET À L'OUTSIDE CUT DE BŒUF GRILLÉ

ASTUCE AROMATIQUE

Une deuxième version de notre pizza « full eugénol », avec, elle aussi, des aliments sur la piste aromatique du clou de girofle.

INGRÉDIENTS

1 boule de pâte à pizza au clou de girofle (voir recette, page 75)
125 ml (½ tasse) de pesto de tomates séchées
Une pièce de bœuf longuement rôtie au four

1 boule de mozzarella fraîche, en fines tranches
Basilic thaï frais, haché grossièrement

PRÉPARATION

1. Préchauffer le four à 190 °C (375 °F).

2. Étendre la pâte sur un plan de travail fariné, la déposer sur une tôle en métal et y étaler le pesto de tomates séchées.

3. À l'aide d'une microplane, râper le bœuf sur la pizza pour former une chapelure uniforme sur toute la surface, puis y déposer les tranches de mozzarella.

4. Cuire au four pendant une trentaine de minutes, sur l'étage du milieu.

5. Retirer du four et parsemer la pizza de basilic thaï avant de servir.

PISTES HARMONIQUES DES LIQUIDES

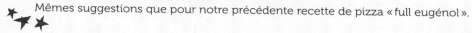

Mêmes suggestions que pour notre précédente recette de pizza « full eugénol ».

RISOTTO AU SAFRAN

ASTUCE AROMATIQUE

Nombreuses sont les pistes aromatiques de même famille que le safran. Ceci nous permet de vous présenter quelques variations de ce classique, pour lesquelles nous n'avons eu qu'à nous assurer que le vin blanc de cuisson soit très aromatique et terpénique (retsina grec). Les parfums du retsina font partie des composés volatils du safran.

INGRÉDIENTS

1 litre (4 tasses) de bouillon de volaille clair
30 ml (2 c. à soupe) d'huile d'olive
60 g (¼ tasse) de beurre doux
1 oignon moyen, haché finement
1 gousse d'ail, hachée finement
1 pincée de pistils de safran
300 g (1 ⅕ tasse) de riz à risotto (arborio, carnaroli ou vialone nano)
200 ml (⅘ tasse) de vin blanc de type retsina (Grèce)
45 ml (3 c. à soupe) de crème 35 %, montée
Fromage parmesan râpé en quantité suffisante
Sel de mer

GARNITURE
30 ml (2 c. à soupe) de citron confit en dés

PRÉPARATION

1. Dans une grande casserole, verser le bouillon de volaille et chauffer jusqu'à ce qu'il frémisse. Laisser la casserole sur le feu pour garder le bouillon chaud.
2. Dans une grande sauteuse, mettre l'huile et le beurre. Chauffer jusqu'à ce que le beurre soit entièrement fondu. Ajouter l'oignon et l'ail, et faire suer sans coloration. Ajouter le safran et remuer.
3. Verser le riz dans la sauteuse en remuant à l'aide d'une cuillère de bois pour bien enrober chaque grain. Déglacer avec le vin blanc et réduire à sec.
4. Tout en remuant, verser le bouillon, une louche à la fois, en vous assurant que le liquide soit entièrement évaporé avant d'ajouter la louche de bouillon suivante. Répéter l'opération jusqu'à ce tout le bouillon soit utilisé et que le risotto soit cuit. Un risotto *al dente* (ferme sous la dent) doit cuire entre 15 et 18 minutes*.
5. Rectifier l'assaisonnement. Ajouter du parmesan râpé et la crème montée (celle-ci donnera une belle texture aérienne au risotto).
6. Servir le risotto dans des bols, parsemer de dés de citrons confits. Déguster aussitôt !

*Il est important de servir le risotto dès qu'il est cuit pour qu'il garde sa texture crémeuse et ne prenne pas en pain.

PISTES HARMONIQUES DES LIQUIDES

To the go avec un retsina ! Parmi les autres vins, optez pour un riesling. Du côté des bières, choisissez une bière de type india pale ale.

SAFRAN/THÉ EARL GREY

RISOTTO AU SAFRAN ET AU THÉ EARL GREY

ASTUCE AROMATIQUE

Parmi les pistes aromatiques tracées par le safran, il y a la bergamote. Qui dit bergamote, dit thé Earl Grey. Prenant comme point de départ le risotto classique au safran (voir recette, page 81), j'étais curieux que l'on tente un risotto cuit avec du thé Earl Grey... Le résultat est hyper-aromatico-ludique !

INGRÉDIENTS

1 litre (4 tasses) de bouillon de volaille clair
7,5 ml (1 ½ c. à thé) de thé Earl Grey en feuilles
30 ml (2 c. à soupe) d'huile d'olive
60 g (¼ tasse) de beurre doux
1 oignon moyen, haché finement
1 gousse d'ail, hachée finement
1 pincée de pistils de safran
300 g (1 ⅕ tasse) de riz à risotto
200 ml (⅘ tasse) de vin blanc de type retsina (Grèce)
45 ml (3 c. à soupe) de crème 35 %, montée
Fromage parmesan râpé en quantité suffisante
Sel de mer

GARNITURE
30 ml (2 c. à soupe) de citron confit en dés

 PRÉPARATION

1. Dans une grande casserole, verser le bouillon de volaille et chauffer jusqu'à ce qu'il frémisse. Ajouter les feuilles de thé Earl Grey et laisser infuser 5 minutes. Filtrer le bouillon pour retirer les feuilles. Verser le bouillon dans la casserole et la déposer sur le feu. Garder au chaud.

2. Dans une grande sauteuse, mettre l'huile et le beurre. Chauffer jusqu'à ce que le beurre soit entièrement fondu. Ajouter l'oignon et l'ail, et faire suer sans coloration. Ajouter le safran et remuer.

3. Verser le riz dans la sauteuse en remuant à l'aide d'une cuillère de bois pour bien enrober chaque grain. Déglacer avec le vin blanc et réduire à sec.

4. Tout en remuant, verser le bouillon, une louche à la fois, en vous assurant que le liquide soit entièrement évaporé avant d'ajouter la louche de bouillon suivante. Répéter l'opération jusqu'à ce tout le bouillon soit utilisé et que le risotto soit cuit. Un risotto *al dente* (ferme sous la dent) doit cuire entre 15 et 18 minutes*.

5. Rectifier l'assaisonnement, ajouter du parmesan râpé et la crème montée (celle-ci donnera une belle texture aérienne au risotto).

6. Servir le risotto dans des bols, parsemer de dés de citrons confits. Déguster aussitôt !

*Il est important de servir le risotto dès qu'il est cuit pour qu'il garde sa texture crémeuse et ne prenne pas en pain.

PISTES HARMONIQUES DES LIQUIDES

Vous m'avez vu venir avec ma recommandation de thé Earl Grey ! Du côté des vins, optez soit pour un riesling, soit pour un sauvignon blanc de noble origine. Du côté des bières, sélectionnez une bière de type india pale ale.

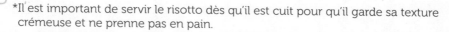

PAPRIKA FUMÉ/RETSINA

RISOTTO AU PIMENTÓN FUMÉ

ASTUCE AROMATIQUE

Partant de la piste aromatique donnée par les composés volatils du safran, il y a plusieurs variations possibles de ce grand classique italien habituellement au safran (voir recette, page 81). Premièrement, comme ici, en remplaçant le safran par les plus abordables pimentón et/ou paprika fumé, et en twistant le tout avec un retsina grec comme vin blanc de cuisson !

INGRÉDIENTS

1 litre (4 tasses) de bouillon de volaille clair

30 ml (2 c. à soupe) d'huile d'olive

60 g (¼ tasse) de beurre doux

1 oignon moyen, haché finement

1 gousse d'ail, haché finement

1 pincée de pistils de safran

300 g (1 ⅕ tasse) de riz à risotto

200 ml (⅘ tasse) de vin blanc de type retsina (vin provenant de la Grèce)

7,5 ml (1 ½ c. à thé) de pimentón ou de paprika fumé

45 ml (3 c. à soupe) de crème 35 %, montée

Fromage parmesan râpé en quantité suffisante

Sel de mer

PRÉPARATION

1. Dans une grande casserole, verser le bouillon de volaille et chauffer jusqu'à ce qu'il frémisse. Laisser la casserole sur le feu pour garder le bouillon chaud.

2. Dans une grande sauteuse, verser l'huile et ajouter le beurre. Chauffer jusqu'à ce que le beurre soit entièrement fondu. Ajouter l'oignon et l'ail, et faire suer sans coloration. Ajouter le safran et remuer.

3. Verser le riz dans la sauteuse en remuant à l'aide d'une cuillère de bois pour bien enrober chaque grain. Déglacer avec le vin blanc et réduire à sec.

4. Tout en remuant, verser le bouillon, une louche de bouillon à la fois, en vous assurant que le liquide soit entièrement évaporé avant d'ajouter la louche de bouillon suivante. Répéter l'opération jusqu'à ce tout le bouillon soit utilisé et que le risotto soit cuit. Un risotto *al dente* (ferme sous la dent) doit cuire entre 15 et 18 minutes*. Ajouter le pimentón ou le paprika fumé.

5. Rectifier l'assaisonnement. Ajouter du parmesan râpé et la crème montée (celle-ci donnera une belle texture aérienne au risotto).

6. Servir le risotto dans des bols et déguster aussitôt !

*Il est important de servir le risotto dès qu'il est cuit pour qu'il garde sa texture crémeuse et ne prenne pas en pain.

PISTES HARMONIQUES DES LIQUIDES

Le même vin blanc de cuisson, soit un retsina grec ! Sinon, un riesling australien.

TOMATE/SAFRAN/SÉSAME

BOÎTES DE THON «GRATINÉES», EN SALADE

ASTUCE AROMATIQUE

Voilà une idée géniale de Stéphane Modat : à partir de mon idée de salade de thon, il a eu le flash de servir et de gratiner cette salade directement dans la conserve de thon ! Ici, comme la tomate domine l'ensemble, il est possible d'ajouter, comme bon vous semble, du sésame, des fèves de soya germées, du safran ou du paprika, des crevettes ou des pommes de terre sautées. À vos conserves !

INGRÉDIENTS

8 tomates cerises, en dés

10 pétales de tomates confites au soleil, hachées

80 g (½ tasse) d'olives noires marocaines séchées au soleil, dénoyautées et hachées

4 boîtes de thon dans l'huile (égoutter et réserver l'huile)

30 ml (2 c. à soupe) de vinaigre balsamique

Sel de mer et poivre du moulin

1 gousse d'ail

60 ml (4 c. à soupe) de chapelure

15 ml (1 c. à soupe) de graines de sésame grillées

1 pincée de pistils de safran

PRÉPARATION

1. Préchauffer le four à 180 °C (350 °F).

2. Dans un bol à mélanger, déposer les tomates cerises, les tomates confites et les olives. Ajouter le thon égoutté, le vinaigre balsamique, le sel et le poivre. Bien mélanger le tout. Réserver.

3. Réduire l'ail en purée à l'aide d'un presse-ail et déposer dans un petit bol à mélanger. Ajouter la chapelure, les graines de sésame et les pistils de safran. Bien mélanger et réserver.

4. Répartir le mélange de thon dans les 4 boîtes de conserve (ou dans des ramequins), saupoudrer du mélange de chapelure, puis arroser avec l'huile de thon réservée.

5. Enfourner et cuire entre 10 et 15 minutes, jusqu'à ce que la chapelure soit bien dorée.

PISTES HARMONIQUES DES LIQUIDES

La tomate et ses aliments complémentaires dictent le choix des liquides harmoniques. Ici, le vin rosé est roi, mais ses sujets sont nombreux : champagne, fumé blanc, sauvignon blanc, xérès fino, manzanilla.

POISSONS, CRUSTACÉS ET FRUITS DE MER

CRAB CAKES AU GINGEMBRE ET MENTHE FRAÎCHE

ASTUCE AROMATIQUE

Sur la piste du « goût de froid », tel que détaillé dans le tome I de *Papilles et Molécules*, tout comme dans *Les recettes de Papilles et Molécules*, le gingembre et la menthe peuvent être remplacés, comme dans notre autre version (voir recette suivante), par le daïkon et la coriandre fraîche, et par tout autre aliment au « goût de froid » !

INGRÉDIENTS

½ bouquet de menthe

500 g (1 lb) de chair de crabe fraîche

60 g (4 c. à soupe) de gingembre frais, pelé et finement haché

15 ml (1 c. à soupe) de mayonnaise maison

5 ml (1 c. à thé) de wasabi

3 œufs

Sel de mer

Chapelure

Une grosse noisette de beurre

PRÉPARATION

1. Effeuiller la menthe, rincer les feuilles sous l'eau, puis les assécher à l'aide d'un papier absorbant. Ciseler et réserver.

2. Dans un bol à mélanger, déposer la chair de crabe, le gingembre, la mayonnaise, le wasabi et 1 œuf. Mélanger le tout avec les mains jusqu'à ce que la préparation soit homogène, puis ajouter la menthe ciselée. Mélanger à nouveau et rectifier l'assaisonnement. Réserver.

3. Tapisser une plaque à biscuits d'un papier sulfurisé. Réserver.

4. À l'aide d'un emporte-pièce, former des petites galettes et les déposer sur la plaque à biscuits. Recouvrir d'une pellicule plastique et déposer la plaque au congélateur pendant 1 heure pour durcir la préparation et faciliter la prochaine étape.

5. Dans un petit bol à mélanger, battre les 2 œufs avec une fourchette. Réserver.

6. Dans une assiette, verser de la chapelure et réserver.

7. Tremper les galettes, une à la fois, dans la préparation d'œufs, puis les enrober de chapelure. Réserver.

8. Dans une poêle, faire chauffer une bonne noisette de beurre et y déposer les crab cakes en prenant soin de ne pas les entasser. Faire dorer les crab cakes à feu moyen. Dès que le premier côté est bien coloré, retourner les galettes et faire dorer l'autre côté.

9. Déposer les crab cakes sur un papier absorbant pour les assécher et servir immédiatement.

PISTES HARMONIQUES DES LIQUIDES

Vins blancs des cépages suivants : grüner veltliner (Autriche)/chenin blanc (Savennières et Vouvray secs dans la Loire)/romorantin (Court-Cheverny dans la Loire)/verdejo (Rueda en Espagne)/sauvignon blanc (Nouvelle-Zélande). Sans oublier le thé vert Gyokuro.

CORIANDRE FRAÎCHE/DAÏKON

CRAB CAKES À LA CORIANDRE FRAÎCHE ET DAÏKON

ASTUCE AROMATIQUE

Sur la piste du « goût de froid », tel que détaillé dans le tome I de *Papilles et Molécules*, tout comme dans *Les recettes de Papilles et Molécules*, le gingembre et la menthe de la version précédente (voir recette, page précédente) sont remplacés par le daïkon et la coriandre fraîche, pour ainsi magnifier ce gâteau de crabe ! Ah oui, n'oubliez pas de l'accompagner de guacamole au citron vert et piment.

INGRÉDIENTS

½ bouquet de coriandre fraîche
100 g (²/₅ tasse) de daïkon*, pelé et taillé en fine brunoise
500 g (1 lb) de chair de crabe fraîche
22,5 ml (1 ½ c. à soupe) de mayonnaise maison
5 ml (1 c. à thé) de wasabi
3 œufs
Sel de mer
Chapelure

PRÉPARATION

1. Effeuiller la coriandre, rincer les feuilles sous l'eau, puis les assécher à l'aide d'un papier absorbant. Ciseler et réserver.

2. Dans une casserole, verser de l'eau et porter à ébullition. Blanchir le daïkon en brunoise quelques secondes et plonger immédiatement dans un bain de glace pour qu'il conserve son croquant. Égoutter et déposer sur un papier absorbant pour l'assécher. Réserver.

3. Dans un bol à mélanger, déposer la chair de crabe, le daïkon, la mayonnaise, le wasabi et 1 œuf. Mélanger le tout avec les mains jusqu'à ce que la préparation soit homogène, puis ajouter la coriandre ciselée. Mélanger à nouveau et rectifier l'assaisonnement. Réserver.

4. Tapisser une plaque à biscuits d'un papier sulfurisé. Réserver.

5. À l'aide d'un emporte-pièce, former des petites galettes et les déposer sur la plaque à biscuits. Recouvrir d'une pellicule plastique et déposer la plaque au congélateur pendant 1 heure pour durcir la préparation et faciliter la prochaine étape.

6. Dans un petit bol à mélanger, battre les 2 œufs avec une fourchette. Réserver.

7. Dans une assiette, verser de la chapelure et réserver.

8. Tremper les galettes, une à la fois, dans la préparation d'œufs, puis les enrober de chapelure. Réserver.

9. Dans une poêle, faire chauffer une bonne noisette de beurre et y déposer les crab cakes en prenant soin de ne pas les entasser. Faire dorer les crab cakes à feu moyen. Dès que le premier côté est bien coloré, retourner les galettes et faire dorer l'autre côté.

10. Déposer les crab cakes sur un papier absorbant pour les assécher et servir immédiatement.

*Le daïkon est un radis chinois aussi appelé radis d'hiver que vous trouverez dans les épiceries asiatiques, mais aussi chez votre épicier.

PISTES HARMONIQUES DES LIQUIDES

Les vins qui résonnent dans l'univers aromatique du « goût de froid » sont ceux à base des cépages suivants : grüner veltliner (Autriche)/chenin blanc (Savennières et Vouvray secs dans la Loire)/romorantin (Court-Cheverny dans la Loire)/verdejo (Rueda en Espagne)/sauvignon blanc (Nouvelle-Zélande). Sans oublier le thé vert Gyokuro.

ARACHIDE/CORIANDRE FRAÎCHE/FÈVE ÉDAMAME/PERSIL

EN HOMMAGE À BOUCAR DIOUF : FILET DE DORÉ POÊLÉ, ÉCAILLES DE POMMES DE TERRE À L'HUILE D'ARACHIDE, CRÈME D'ARACHIDE CRUE AU PERSIL ET CORIANDRE, FÈVES ÉDAMAMES JUSTE BLANCHIES

ASTUCE AROMATIQUE

Stéphane Modat et moi avons créé cette recette en hommage à Boucar Diouf, Sénégalais d'origine et Québécois d'adoption, qui a cultivé les arachides avec son père pendant vingt ans, et qui est devenu océanographe par ses études doctorales au Québec. Passionné de gastronomie et de science, on lui devait une recette hommage à ses deux passions : les poissons et les arachides !

INGRÉDIENTS

2 dorés de lac 500 à 750 g (1 à 1 ½ lb)

1 bouquet de persil italien

1 bouquet de coriandre fraîche

375 ml (1 ½ tasse) de fèves édamames

250 ml (1 tasse) d'arachides crues, écaillées

125 ml (½ tasse) de lait 3,25 %
250 ml (1 tasse) de crème 35 %
12 pommes de terre ratte
250 ml (1 tasse) d'huile d'arachide
1 œuf
Sel, huile, beurre

PRÉPARATION

1. Lever les filets et retirer les arêtes. Réserver.
2. Dans une casserole d'eau bouillante salée, blanchir rapidement les deux bouquets d'herbes et refroidir à l'eau glacée. Réserver.
3. Blanchir les fèves édamames à l'eau bouillante salée et refroidir aussitôt à l'eau glacée. Réserver.
4. Blanchir les arachides pour retirer la pellicule des grains.
5. Dans une petite casserole, mettre le lait et la crème, et y déposer les arachides. Cuire 10 minutes à feu très doux.
6. Verser la préparation dans le bol d'un batteur électrique, et ajouter le persil et la coriandre blanchis. Réduire le mélange en purée lisse. Rectifier l'assaisonnement et passer à la passoire fine. Réserver.
7. Tailler les rattes, à la mandoline, en fines tranches et les faire revenir rapidement dans une poêle très chaude contenant de l'huile d'arachide. Réserver sur du papier absorbant.
8. Dans la même poêle, retirer l'excédent d'huile, saler le fond de celle-ci, et placer les filets de doré, pour leur donner une belle coloration. Retirer et badigeonner avec un blanc d'œuf au pinceau.
9. Déposer les tranches de pommes de terre sur la peau du poisson en simulant des écailles. Remettre le poisson, du côté écailles, dans la poêle pour terminer la cuisson.
10. Dans une assiette creuse, mettre les édamames que vous aurez fait chauffer dans la crème d'arachide et y déposer les filets de doré. Déguster.

ASTUCE DE SERVICE

Il est aussi possible de servir en entrée la crème d'arachide avec les fèves édamames de cette recette, dans une cuillère, surmontée de crevettes grillées.

PISTES HARMONIQUES DES LIQUIDES

La piste de l'arachide nous conduit vers les vins blancs de sauvignon blanc, tout comme vers ceux d'assemblage sémillon et sauvignon blanc, à l'image des vins de Bordeaux et de Bergerac.

FILET DE SAUMON AU FOUR À LA CITRONNELLE ET LAVANDE

ASTUCE AROMATIQUE

Lavande et citronnelle sont sur la même piste aromatique que les graines de coriandre, lesquelles sont un classique avec le saumon.

INGRÉDIENTS

Huile d'olive
1 filet de saumon frais
15 ml (1 c. à soupe) de moutarde de Dijon
5 ml (1 c. à thé) de lavande réduite en poudre
1 branche de citronnelle fraîche, hachée finement
½ oignon rouge, émincé
15 ml (1 c. à soupe) de graines de coriandre, concassées

PRÉPARATION

1. Préchauffer le four à 160 °C (325 °F).
2. Recouvrir une tôle à biscuits d'une feuille de papier aluminium.
3. Arroser la feuille d'huile d'olive et y déposer le filet de saumon.
4. Badigeonner de moutarde le filet de saumon, puis parsemer les autres ingrédients.
5. Enfourner et cuire de 10 à 15 minutes ou suivant la taille du filet de saumon choisi.

PISTES HARMONIQUES DES LIQUIDES

Le trio graine de coriandre/citronnelle/lavande résonne en Riesling !

FILET DE SAUMON AU FOUR EN MODE ANISÉ

ASTUCE AROMATIQUE

Contrairement à notre précédente recette où règne le trio lavande/citronnelle/ graine de coriandre, ici nous sommes partis sur la piste aromatique anisée, nous avons donc joué plutôt avec le bulbe de fenouil et les graines de fenouil. Vous pourriez aussi choisir le carvi, les graines de cerfeuil ou le basilic.

INGRÉDIENTS

Huile d'olive
1 filet de saumon frais

15 ml (1 c. à soupe) de moutarde de Dijon
15 ml (1 c. à soupe) de graines de fenouil, concassées
½ bulbe de fenouil, émincé

PRÉPARATION

1. Préchauffer le four à 160 °C (325 °F).
2. Recouvrir une tôle à biscuits d'une feuille de papier aluminium.
3. Arroser la feuille d'huile d'olive et y déposer le filet de saumon.
4. Badigeonner de moutarde le filet de saumon, puis parsemer les autres ingrédients.
5. Enfourner et cuire de 10 à 15 minutes ou suivant la taille du filet de saumon choisi

PISTES HARMONIQUES DES LIQUIDES

À nouveau, cette piste est celle du sauvignon blanc, tout comme de ses cépages complémentaires, donc eux aussi en mode anisé : verdejo, chenin blanc, romorantin, gavi, greco di Tufo, garganega, grüner veltliner.

ROMARIN/CITRON/GINGEMBRE/LAVANDE

GRAVLAX DE SAUMON AU ROMARIN ET AU CITRON

ASTUCE AROMATIQUE

Comme pour le gravlax à la menthe et au citron vert présenté dans *Papilles pour tous ! Automne*, la piste aromatique de ce gravlax est donnée par l'univers terpénique du romarin, de la lavande et du citron. Chemin à suivre pour choisir les ingrédients avec lesquels pourrait être servi ce plat, tout comme les vins. Vos canapés des Fêtes seront les meilleurs !

INGRÉDIENTS

Un citron
60 ml (¼ tasse) de gingembre frais, pelé et râpé
75 g (⅓ tasse) de gros sel de mer
55 g (⅕ de tasse) de sucre blanc
1 bouquet de romarin, effeuillé et grossièrement haché
5 ml (1 c. à thé) de pistils de lavande
1 filet de saumon* d'environ 1,5 kg (3 lb), sans arêtes

PRÉPARATION

1. Laver et brosser le citron, puis l'assécher. À l'aide d'une microplane, prélever le zeste et réserver. Presser le jus et réserver.
2. Peler la racine de gingembre et la râper à l'aide d'une microplane. Réserver.

3. Dans un bol à mélanger, déposer le sel, le sucre, le romarin, le zeste et jus de citron, le gingembre et la lavande. Bien mélanger le tout et réserver.

4. Sur le plan de travail, dérouler un papier film et étendre la moitié du mélange au centre.

5. Déposer le saumon (côté peau) sur le mélange et le recouvrir du reste de la préparation.

6. Refermer le papier film hermétiquement et déposer sur une plaque à biscuits. Réfrigérer pendant 24 heures.

7. Retirer le papier film et rincer le filet de saumon à l'eau courante bien froide. Éponger le filet avec un papier absorbant. Réserver au réfrigérateur.

FINITION

À l'aide d'un grand couteau bien aiguisé, trancher le gravlax en tranches très fines. Déguster !

*Il est très important d'informer votre poissonnier que vous cuisinez un gravlax pour qu'il vous offre un poisson très frais.

PISTES HARMONIQUES DES LIQUIDES

Qui dit romarin et citron dit riesling et bière india pale ale! Mais aussi thé vert Gyokuro...

GROSSES PALOURDES « CHERRY-STONE » AU BEURRE DE GINGEMBRE FRAIS

ASTUCE AROMATIQUE

Partant de cette recette, nous vous présentons des variations sur le thème du gingembre. Nous suivons donc la piste du gingembre, afin d'aromatiser quelques versions de palourdes « Cherry-stone » (voir recettes suivantes). Des variations à partir de la même famille aromatique que le gingembre : l'eau de rose, le curcuma, le cèdre, la bière blanche, le pamplemousse rose et le piment jalapeño.

INGRÉDIENTS

12 palourdes « Cherry-stone » fraîches
120 g (½ tasse) de beurre froid, en dés
25 g (¼ tasse) de gingembre frais, en fine julienne
Sel
Tempura frite (magasin asiatique)

PRÉPARATION

1. **Palourdes.** Prendre une palourde dans chaque main et les frapper délicatement l'une contre l'autre. Dès qu'un bruit de fissure se fait entendre, déposer la palourde cassée et recommencer avec une autre, jusqu'à ce qu'elles soient toutes ouvertes. Ensuite, à l'aide d'un couteau libérer le muscle de la coquille et réserver dans un saladier.

2. Retirer les coquilles des palourdes et tous les éclats de coquilles qui pourraient s'y trouver. Retirer le manteau pour n'avoir que le muscle principal du coquillage. Réserver dans un bol, recouvert d'une pellicule plastique et conserver au frigo.

3. **Beurre de gingembre.** Dans une petite casserole, faire fondre le beurre. Ajouter le gingembre. Le mélange s'émulsionnera en chauffant.

4. Plonger rapidement les palourdes dans le beurre de gingembre sans trop les faire chauffer pour éviter qu'elles ne durcissent.

5. Déposer les muscles de palourdes dans des petits bols. Ajouter un peu de friture de tempura et déguster.

PISTES HARMONIQUES DES LIQUIDES

Le gingembre est le triplet aromatique des vins de gewurztraminer et de scheurebe (Autriche). Il est aussi un vrai jumeau avec les bières blanches.

GINGEMBRE/EAU DE ROSE

GROSSES PALOURDES « CHERRY-STONE » AU BEURRE DE GINGEMBRE FRAIS ET EAU DE ROSE

ASTUCE AROMATIQUE

Du gingembre à l'eau de rose, il n'y a qu'un pas à franchir, tant ils sont des jumeaux moléculaires identiques. La synergie entre les deux est vibrante.

INGRÉDIENTS

12 palourdes « Cherry-stone » fraîches
120 g (½ tasse) de beurre froid, en dés
25 g (¼ tasse) de gingembre frais, en fine julienne
15 ml (1 c. à soupe) d'eau de rose
Sel
Tempura frite (magasin asiatique)

PRÉPARATION

1. **Palourdes.** Prendre une palourde dans chaque main et les frapper délicatement l'une contre l'autre. Dès que le bruit de fissure se fait entendre, déposer la palourde cassée et recommencer avec une autre, jusqu'à ce qu'elles soient toutes ouvertes. Ensuite, à l'aide d'un couteau libérer le muscle de la coquille et réserver dans un saladier.

2. À l'aide d'un couteau, retirer les coquilles des palourdes et tous les éclats de coquilles qui pourraient s'y trouver. Retirer le manteau pour n'avoir que le muscle principal du coquillage. Réserver dans un bol recouvert d'une pellicule plastique et conserver au frigo.

3. **Beurre de gingembre à l'eau de rose.** Dans une petite casserole, faire fondre le beurre. Ajouter le gingembre et l'eau de rose. Le mélange s'émulsionnera en chauffant.

4. Plonger rapidement les palourdes dans le beurre à l'eau de rose sans trop les faire chauffer pour éviter qu'elles ne durcissent.

5. Déposer les muscles de palourdes dans des petits bols. Ajouter un peu de friture de tempura et déguster.

PISTES HARMONIQUES DES LIQUIDES

Qui dit gingembre et eau de rose, dit sans l'ombre d'un doute vin blanc de gewurztraminer, qu'il soit alsacien, américain ou canadien, sec ou demi-sec. Ici, le sucre importe peu, c'est le profil gingembre/eau de rose de ce cépage qui crée la synergie aromatique avec les ingrédients dominants de cette version

CURCUMA/GINGEMBRE

GROSSES PALOURDES « CHERRY-STONE » AU BEURRE DE GINGEMBRE FRAIS ET CURCUMA

ASTUCE AROMATIQUE

Des jumeaux aromatiques que le curcuma et le gingembre. Difficile d'être plus « Kampaï ! ».

INGRÉDIENTS

12 palourdes « Cherry-stone » fraîches
120 g (½ tasse) de beurre froid, en dés
25 g (¼ tasse) de gingembre frais, en fine julienne
5 ml (1 c. à thé) de curcuma frais, épluché, en fine julienne
(ou 2,5 ml/½ c. à thé de curcuma moulu
Sel
Tempura frite (magasin asiatique)

PRÉPARATION

1. **Palourdes.** Prendre une palourde dans chaque main et les frapper délicatement l'une contre l'autre. Dès que le bruit de fissure se fait entendre, déposer la palourde cassée et recommencer avec une autre, jusqu'à ce qu'elles soient toutes ouvertes. Ensuite, à l'aide d'un couteau libérer le muscle de la coquille et réserver dans un saladier.

2. À l'aide d'un couteau, retirer les coquilles des palourdes et tous les éclats de coquilles qui pourraient s'y trouver. Retirer le manteau pour n'avoir que le muscle principal du coquillage. Réserver dans un bol, recouvert d'une pellicule plastique et conserver au frigo.

3. **Beurre de gingembre.** Dans une petite casserole, faire fondre le beurre. Ajouter le gingembre et le curcuma frais*. Le mélange s'émulsionnera en chauffant.

4. Plonger rapidement les palourdes dans le beurre de gingembre sans trop les faire chauffer pour éviter qu'elles ne durcissent.

5. Déposer les muscles de palourdes dans des petits bol, ajouter un peu de friture de tempura et déguster.

*Si vous utilisez du curcuma moulu, ajoutez-le à la fin, juste avant de plonger les palourdes dans le beurre.

PISTES HARMONIQUES DES LIQUIDES

Vin de gewurztraminer, de muscat ou de pinot gris, tout comme de xérès de type fino et manzanilla. Voilà une large zone de confort harmonique pour vous amuser à table.

GROSSES PALOURDES « CHERRY-STONE » AU BEURRE DE GINGEMBRE FRAIS ET BIÈRE BLANCHE

ASTUCE AROMATIQUE

Gingembre et bière blanche sont des partenaires sur mesure. Il faut dire que les bières blanches ont toujours un profil aromatique gingembre !

INGRÉDIENTS

12 palourdes « Cherry-stone » fraîches
150 g (¾ tasse) de beurre froid, en dés
25 g (¼ tasse) de gingembre frais, en fine julienne
60 ml (¼ tasse) de bière blanche
Sel
Tempura frite (magasin asiatique)

PRÉPARATION

1. **Palourdes.** Prendre une palourde dans chaque main et les frapper délicatement l'une contre l'autre. Dès que le bruit de fissure se fait entendre, déposer la palourde cassée et recommencer avec une autre, jusqu'à ce qu'elles soient toutes ouvertes. Ensuite, à l'aide d'un couteau libérer le muscle de la coquille et réserver dans un saladier.

2. À l'aide d'un couteau, retirer les coquilles des palourdes et tous les éclats de coquilles qui pourraient s'y trouver. Retirer le manteau pour n'avoir que le muscle principal du coquillage. Réserver dans un bol, recouvert d'une pellicule plastique et conserver au frigo.

3. **Beurre de gingembre.** Dans une petite casserole, faire fondre le beurre. Ajouter le gingembre et la bière blanche. Le mélange s'émulsionnera en chauffant.

4. Plonger rapidement les palourdes dans le beurre de gingembre sans trop les faire chauffer pour éviter qu'elles ne durcissent.

5. Déposer les muscles de palourdes dans des petits bol. Ajouter un peu de friture de tempura et déguster.

PISTES HARMONIQUES DES LIQUIDES

Vous m'avez deviné ! Eh oui ! Une bière blanche est de mise. Mais aussi un vin blanc de muscat, qui ne fait qu'un avec le duo bière blanche/gingembre.

GINGEMBRE/PAMPLEMOUSSE ROSE

GROSSES PALOURDES «CHERRY-STONE» AU BEURRE DE GINGEMBRE FRAIS ET PAMPLEMOUSSE ROSE

ASTUCE AROMATIQUE

Le pamplemousse rose se trouve aussi sur la piste expressive du gingembre.

INGRÉDIENTS

- 12 palourdes «Cherry-stone» fraîches
- 150 g (¾ tasse) de beurre froid, en dés
- 25 g (¼ tasse) de gingembre frais, en fine julienne
- 60 ml (¼ tasse) de jus de pamplemousse rose
- Sel
- Tempura frite (magasin asiatique)

PRÉPARATION

1. **Palourdes.** Prendre une palourde dans chaque main et les frapper délicatement l'une contre l'autre. Dès que le bruit de fissure se fait entendre, déposer la palourde cassée et recommencer avec une autre, jusqu'à ce qu'elles soient toutes ouvertes. Ensuite, à l'aide d'un couteau libérer le muscle de la coquille et réserver dans un saladier.

2. À l'aide d'un couteau, retirer les coquilles des palourdes et tous les éclats de coquilles qui pourraient s'y trouver. Retirer le manteau pour n'avoir que le muscle principal du coquillage. Réserver dans un bol, recouvert d'une pellicule plastique et conserver au frigo.

3. **Beurre de gingembre.** Dans une petite casserole, faire fondre le beurre. Ajouter le gingembre et le jus de pamplemousse rose. Le mélange s'émulsionnera en chauffant.

4. Plonger rapidement les palourdes dans le beurre de gingembre sans trop les faire chauffer pour éviter qu'elles ne durcissent.

5. Déposer les muscles de palourdes dans des petits bols. Ajouter un peu de friture de tempura et déguster.

PISTES HARMONIQUES DES LIQUIDES

Comme je le détaille dans le tome I du livre *Papilles et Molécules*, le gingembre, le pamplemousse rose, les vins de sauvignon blanc et de scheurebe (Autriche) sont parfois des cousins...

 # GROSSES PALOURDES «CHERRY-STONE» AU BEURRE DE CÈDRE

ASTUCE AROMATIQUE

Du gingembre au cèdre, il n'y avait qu'un pas que nous avons franchi *to the go* ! Il faut savoir que les jeunes pousses de cèdre – oui, oui, le cèdre que vous avez dans vos jardins –, une fois blanchi, séché et réduit en poudre au moulin à café, fait un excellent condiment, spécialement avec les coquillages au goût iodé.

INGRÉDIENTS

12 palourdes «Cherry-stone» fraîches
120 g (½ tasse) de beurre froid, en dés
30 ml (2 c. à soupe) de riesling
5 ml (1 c. à thé) de poudre de cèdre
Sel
Tempura frite (magasin asiatique)

PRÉPARATION

1. **Poudre de cèdre.** Prendre les bouts des jeunes pousse printanières des branches (celles d'été et d'automne font tout aussi bien l'affaire, sans être aussi aromatiques). Les blanchir 30 secondes dans de l'eau bouillante, puis bien les assécher. Une fois sèches, les réduire en poudre dans un moulin à café propre, donc qui ne sent

2. **Palourdes.** Prendre une palourde dans chaque main et les frapper délicatement l'une contre l'autre. Dès que le bruit de fissure se fait entendre, déposer la palourde cassée et recommencer avec une autre, jusqu'à ce

qu'elles soient toutes ouvertes. Ensuite, à l'aide d'un couteau libérer le muscle de la coquille et réserver dans un saladier.

3. À l'aide d'un couteau, retirer les coquilles des palourdes et tous les éclats de coquilles qui pourraient s'y trouver. Retirer le manteau pour n'avoir que le muscle principal du coquillage. Réserver dans un bol, recouvert d'une pellicule plastique et conserver au frigo.

4. **Beurre de cèdre.** Dans une petite casserole, faire fondre le beurre. Ajouter le vin blanc et faire frémir. Ajouter la poudre de cèdre. Le mélange s'émulsionnera en chauffant.

5. Plonger rapidement les palourdes dans le beurre de cèdre sans trop les faire chauffer pour éviter qu'elles ne durcissent.

6. Déposer les muscles de palourdes dans des petits bols, ajouter un peu de friture de tempura et déguster.

PISTES HARMONIQUES DES LIQUIDES

Comme le cèdre est marqué par des composés volatils de la famille des terpènes, comme le riesling, c'est donc un vin blanc de riesling qu'il vous faut. N'importe lequel ! C'est la beauté de la chose lorsque l'on est dans la même famille aromatique, la zone de confort harmonique s'élargit. C'est ça, *Papilles pour tous* ! Ah oui, j'allais oublier : la bière de type india pale ale, tout comme le xérès fino, est aussi de cette famille.

GINGEMBRE/PIMENT JALAPEÑO

GROSSES PALOURDES « CHERRY-STONE » AU BEURRE DE GINGEMBRE FRAIS ET PIMENT JALAPEÑO

ASTUCE AROMATIQUE

Étonnant, dites-vous ? Le gingembre sur la même piste aromatique que les piments jalapeño... C'est le cas. Il y a ici une rencontre à deux niveaux : entre les composés volatils des deux, tout comme entre les principes actifs à goût de feu, lesquels provoquent une sensation de chaleur sur les papilles et les muqueuses. Très pénétrante rencontre !

INGRÉDIENTS

12 palourdes « Cherry-stone » fraîches
120 g (½ tasse) de beurre froid, en dés
25 g (¼ tasse) de gingembre frais, en fine julienne
2,5 ml (½ c. à thé) de piment jalapeño, haché finement
Sel
Tempura frite (magasin asiatique)

PRÉPARATION

1. **Palourdes à cru.** Prendre une palourde dans chaque main et les frapper

délicatement l'une contre l'autre. Dès que le bruit de fissure se fait entendre, déposer la palourde cassée et recommencer avec une autre, jusqu'à ce qu'elles soient toutes ouvertes. Ensuite, à l'aide d'un couteau libérer le muscle de la coquille et réserver dans un saladier.

2. À l'aide d'un couteau, retirer les coquilles des palourdes et tous les éclats de coquilles qui pourraient s'y trouver. Retirer le manteau pour n'avoir que le muscle principal du coquillage. Réserver dans un bol, recouvert d'une pellicule plastique et conserver au frigo.

3. **Beurre de gingembre au piment.** Dans une petite casserole, faire fondre le beurre. Ajouter le gingembre et le piment jalapeño. Le mélange s'émulsionnera en chauffant.

4. Plonger rapidement les palourdes dans le beurre de gingembre au piment sans trop les chauffer pour éviter qu'elles ne durcissent.

5. Déposer les muscles de palourdes dans des petits bols. Ajouter un peu de friture de tempura et déguster.

PISTES HARMONIQUES DES LIQUIDES

Comme expliqué dans le chapitre Capsaïcine du tome I du livre *Papilles et Molécules*, ici il faut à la fois créer la synergie aromatique avec les ingrédients dominants tout en calmant le feu (capsaïcine) des piments. Pour ce faire, il faut donc un gewurztraminer, mais surtout riche en alcool (plus ou moins 14 degrés) ou riche en sucre. C'est que l'alcool et le sucre inhibent l'action « feu » de la synergie gingembre/piment.

NOISETTE/CURRY/PÊCHE/ABRICOT

HOMARD GRILLÉ AVEC HUILE DE CURRY ET LIVÈCHE

ASTUCE AROMATIQUE

J'étais curieux d'y ajouter, en fin de cuisson ou avant le service, un concassé de noisettes grillées ou de noix de coco grillées. C'est ce que nous avons fait ! Aussi, pourquoi ne pas l'accompagner de votre salsa aux fruits préférée, dominée par la pêche ou l'abricot ?

INGRÉDIENTS

2 homards de 500 à 750 g (1 à 1 ½ lb)
125 ml (½ tasse) d'huile d'olive
125 ml (½ tasse) de feuilles de livèche (ou de feuilles de céleri)
5 ml (1 c. à thé) de poudre de curry jaune
60 g (½ tasse) de noisettes avec la peau

PRÉPARATION

1. Remplir une grande casserole d'eau salée. Porter à ébullition, puis y plonger les homards. Cuire 4 minutes.

2. Refroidir les homards dans un grand bol d'eau glacée pour arrêter la cuisson. Réserver.

3. Dans une petite casserole, verser l'huile d'olive et faire tiédir. (L'huile peut être tiédie au four à micro-ondes.)

4. Verser l'huile dans un mélangeur. Ajouter les feuilles de livèche et la poudre de curry. Mélanger jusqu'à ce que le tout soit homogène. Passer au chinois et réserver.

5. Sur une plaque à biscuits, déposer les noisettes et faire griller au four. Laisser refroidir.

6. Dans un mortier, déposer les noisettes et concasser finement à l'aide d'un pilon. Réserver.

7. À l'aide d'un couteau de chef, tailler les homards en deux, puis briser les pinces.

8. Badigeonner généreusement chaque moitié de homard avec l'huile de curry et de livèche à l'aide d'un pinceau.

9. Faire chauffer le BBQ à température moyenne.

10. Déposer les homards sur la grille, côté carcasse, pour terminer la cuisson. Badigeonner la chair d'huile au besoin afin de l'hydrater et d'éviter qu'elle ne sèche. Il n'est pas nécessaire de retourner les homards, car l'huile demeurera sur la chair.

11. Saupoudrer les homards de noisettes concassées et servir immédiatement.

PISTES HARMONIQUES DES LIQUIDES

Tous les ingrédients utilisés ici (curry/noisette/livèche/abricot/pêche) étant de la grande famille des lactones, que l'on retrouve dans les vins élevés en barriques, la piste est donnée ! Priorisez les blancs élevés dans le chêne, plus particulièrement ceux de cépages roussanne et marsanne, puis les chardonnays du Nouveau Monde, ainsi que tous les blancs du Jura, ce qui inclut le vin jaune.

CÈDRE/RIESLING/SAFRAN

➤ PAPILLOTES DE MOULES AUX BRANCHES ◄ DE CÈDRE

ASTUCE AROMATIQUE

Le cèdre est un exhausteur du goût iodé des coquillages, crustacés et fruits de mer. Et comme il est sur la piste aromatique terpénique du riesling et du safran, il suffisait de marier le tout.

INGRÉDIENTS

1 branche de cèdre de la taille de la main

Papier d'aluminium

1 kg (2 lb) de moules, fraîches et lavées

20 ml (4 c. à thé) d'huile d'olive

40 g (8 c. à thé) de beurre salé

250 ml (1 tasse) de riesling

Safran en quantité suffisante

PRÉPARATION

1. Blanchir la branche de cèdre dans l'eau bouillante pour enlever les contaminants potentiels.
2. Tailler 4 feuilles d'aluminium et étaler sur le plan de travail.
3. Placer sur chaque feuille : 250 g (½ lb) de moules, 5 ml (1 c. à thé) d'huile d'olive, 10 g (2 c. à thé) de beurre, ¼ de la branche de cèdre et 60 ml (¼ tasse) de riesling et quelques pistils de safran. Fermer hermétiquement en papillotes.

DEUX AVENUES DE CUISSON :

1. Au four à 190 °C (375 °F). Placer les papillotes sur une plaque et cuire pendant une douzaine de minutes.
2. Sur le BBQ à température moyenne-élevée. Placer les papillotes sur une tôle à pâtisserie et cuire pendant une douzaine de minutes.

PISTES HARMONIQUES DES LIQUIDES

En blanc, optez pour un riesling, qu'il soit allemand, alsacien, australien ou canadien. Pensez aussi à une bière de type pale ale, qui vibre elle aussi sur la même tonalité terpénique que le trio cèdre/riesling/safran.

CREVETTE/SAUMON/PIMENTÓN FUMÉ

PÂTÉ AU SAUMON, AUX CREVETTES ET AU PIMENTÓN FUMÉ

ASTUCE AROMATIQUE

Le pimentón fumé, tout comme le paprika, est dans la même tonalité aromatique que la crevette, d'où la grande synergie de saveurs qu'il provoque. Le safran est aussi de la partie, d'où notre deuxième version qui suit celle-ci.

INGRÉDIENTS

250 ml (1 tasse) de purée de pommes de terre maison

350 g (10 ½ oz) de saumon frais (sans peau et sans arrêtes)

30 g (2 c. à soupe) de beurre salé

1 oignon moyen, haché finement

1 branche de céleri, haché finement

125 ml (½ tasse) de crème 35 %

Sel et poivre

5 ml (1 c. à thé) de pimentón fumé

125 g (4 ½ oz) de crevettes nordiques, égouttées

2 abaisses de pâte à tarte salée

1 œuf entier

PRÉPARATION

1. Préparer la purée de pommes de terre. Réserver.
2. Tailler le saumon en petits dés. Réserver.
3. Dans une casserole, faire fondre le beurre et y faire suer sans coloration l'oignon et la branche de céleri. Lorsque les légumes sont translucides, verser la crème et porter à ébullition.
4. Faire cuire le saumon dans la crème chaude. Rectifier l'assaisonnement. Ajouter le pimentón fumé et les crevettes.
5. Dans un grand saladier, déposer la purée de pommes de terre, l'œuf et le mélange de saumon. Mélanger.
6. Déposer une abaisse de pâte au fond d'une assiette et y verser la préparation. Recouvrir de l'autre abaisse.
7. Cuire au four de 25 à 30 minutes à 180 °C (350 °F).

ASTUCE DE SERVICE

Servir avec une salade de fèves de soya germées à l'huile de sésame grillée et jus de pamplemousse rose.

PISTES HARMONIQUES DES LIQUIDES

Plusieurs choix sont dans la zone de confort harmonique de la crevette ou de ses aliments complémentaires : fumé blanc, xérès fino, champagne, vin rosé, bière india pale ale.

CREVETTE/SAUMON/SAFRAN

 # PÂTÉ AU SAUMON, AUX CREVETTES ET AU SAFRAN

ASTUCE AROMATIQUE

Safran, crevette et saumon, même combat, tout comme le pimentón fumé de la précédente recette, ou encore les fèves de soya germées et l'huile de sésame grillé de la proposition de la salade d'accompagnement.

INGRÉDIENTS

250 ml (1 tasse) de purée de pommes de terre maison
350 g (10 ½ oz) de saumon frais (sans peau et sans arrêtes)
30 g (2 c. à soupe) de beurre salé
1 oignon moyen, haché finement
1 branche de céleri, haché finement
125 ml (½ tasse) de crème 35 %
Sel et poivre
1 pincée de pistils de safran

125 g (4 ½ oz) de crevettes nordiques, égouttées
2 abaisses de pâte à tarte salée
1 œuf entier

PRÉPARATION

1. Préparer la purée de pommes de terre. Réserver.
2. Tailler le saumon en petits dés.
3. Dans une casserole, faire fondre le beurre et faire suer sans coloration l'oignon et la branche de céleri. Lorsque les légumes sont translucides, verser la crème et porter à ébullition.
4. Faire cuire le saumon dans la crème chaude. Rectifier l'assaisonnement. Ajouter le safran et les crevettes.
5. Dans un grand saladier, déposer la purée, l'œuf et le mélange de saumon. Mélanger.
6. Déposer une abaisse de pâte au fond d'une assiette et y verser la préparation. Recouvrir de l'autre abaisse.
7. Cuire au four de 25 à 30 minutes à 180 °C (350 °F).

ASTUCE DE SERVICE

Servir avec une salade de fèves de soya germées à l'huile de sésame grillée et jus de pamplemousse rose.

PISTES HARMONIQUES DES LIQUIDES

Plusieurs choix sont dans la zone de confort harmonique avec la crevette et ses aliments complémentaires : riesling, fumé blanc, xérès fino, champagne, vin rosé, bière india pale ale.

MOULES

 # SAUCES D'ACCOMPAGNEMENT POUR MOULES

ASTUCE AROMATIQUE

Ici, nous vous suggérons quelques versions de parfums à donner à vos moules, question de jazzer un brin vos soirées de moules à volonté, tout en créant une forte synergie aromatique.

INGRÉDIENTS

30 g (2 c. à soupe) de beurre salé
15 ml (1 c. à soupe) d'huile d'olive
2 échalotes grises, hachées finement
2 gousses d'ail, hachées
1 blanc de poireau, haché finement

250 ml (1 tasse) de vin blanc sec
250 ml (1 tasse) de crème 35 % à cuisson
Sel

PRÉPARATION

1. Dans une casserole moyenne, faire fondre le beurre dans l'huile et faire suer les échalotes, l'ail et le poireau, sans aucune coloration.

2. Déglacer avec le vin blanc et réduire des deux tiers.

3. Ajouter la crème et cuire encore quelques minutes. Rectifier l'assaisonnement.

4. Pour accompagner vos moules, parfumer la sauce :

À L'ESTRAGON ET AU FENOUIL
2,5 ml (½ c. à thé) de graines de fenouil moulues
60 ml (¼ tasse) de feuilles d'estragon hachées.

AU CURRY
10 ml (2 c. à thé) de pâte de curry douce ou
5 ml (1 c. à thé) de poudre de curry

AU PIMENTÓN
5 ml (1 c. à thé) de pimentón fumé ou de paprika

AU BASILIC
15 ml (1 c. à soupe) de pesto ou
125 ml (½ tasse) de feuilles de basilic hachées

AU FROMAGE BLEU
25 g (1 oz) de fromage bleu
1,2 ml (¼ c. à thé) de poudre de clou de girofle

AU SAFRAN
1 pincée de pistils de safran

AU GINGEMBRE
15 ml (1 c. à soupe) de gingembre frais râpé

AU PASTIS ET À L'ANIS ÉTOILÉ
5 ml (1 c. à thé) de pastis
2,5 ml (½ c. à thé) d'anis étoilé moulu

AU CÈDRE
5 ml (1 c. à thé) de poudre de cèdre (voir recette, page 97)

PISTES HARMONIQUES DES LIQUIDES

C'est le parfum que vous choisirez qui décidera du choix de liquide à servir dans vos verres : estragon et fenouil = sauvignon blanc; curry = chardonnay élevé en barriques; pimentón = xérès fino; basilic = verdejo; fromage bleu = bière brune extraforte; safran = riesling; gingembre = malvasia; pastis et anis étoilé = sauvignon blanc; cèdre = riesling.

MENTHE/ARAK/ANETH/FENOUIL/POIVRE CUBÈBE/WASABI

SAUMON MARINÉ «GRAVLAX» EN MODE ANISÉ

★ ★ ★

ASTUCE AROMATIQUE

À vous de choisir la piste aromatique que vous voulez donner à votre saumon mariné! Ici, nous avons opté pour les aliments de la famille des anisés. Dans une autre version, c'est au tour des ingrédients au «goût de froid» (voir recette suivante).

INGRÉDIENTS

GRAVLAX

100 g (½ tasse) de gros sel de mer

100 g (½ tasse) de sucre blanc

7,5 ml (1 ½ c. à thé) de graines de fenouil, concassées

5 ml (1 c. à thé) de poivre cubèbe, concassé

60 ml (¼ tasse) d'arak (eau-de-vie anisée)*

1 filet de saumon d'environ 1,5 kg (3 lb) sans peau et sans arêtes

100 g (½ tasse) de gros sel de mer

100 g (½ tasse) de sucre blanc

5 ml (1 c. à thé) de poivre cubèbe concassé

1 botte d'aneth frais, haché finement

½ botte de menthe fraîche, hachée finement

*L'arak est une boisson traditionnelle arabe produite uniquement dans le Croissant fertile. À cette eau-de-vie à base de jus de raisin distillé, on ajoute des graines d'anis. On la fait ensuite vieillir dans des jarres en argile.

SAUCE AU WASABI

125 ml (½ tasse) de yogourt nature

5 ml (1 c. à thé) de wasabi

10 ml (2 c. à thé) de coriandre, finement hachée

PRÉPARATION

1. **Gravlax.** Dans un bol, mélanger le gros sel, le sucre, les graines de fenouil, le poivre de cubèbe et l'arak.
2. Ajouter immédiatement au mélange l'aneth et la menthe finement hachés**. Mélanger et réserver.
3. Sur le plan de travail, dérouler une pellicule plastique et étendre la moitié du mélange au centre.
4. Déposer le saumon sur le mélange et le recouvrir du reste de la préparation.
5. Refermer la pellicule plastique hermétiquement et déposer sur une plaque à biscuits. Réfrigérer pendant 24 heures.
6. Retirer la pellicule plastique et rincer le filet de saumon à l'eau courante bien froide. Éponger le filet à l'aide d'un papier absorbant. Réserver au réfrigérateur.
7. **Sauce au wasabi.** Dans un bol, mélanger le yogourt nature et le wasabi.
8. Ajouter la coriandre hachée finement. Mélanger et réfrigérer.

**Il est important de hacher les herbes fraîches à la dernière minute pour prévenir l'oxydation (noircissement).

FINITION

1. À l'aide d'un couteau bien aiguisé, tailler le gravlax en tranches très fines. Noter que le gravlax est traditionnellement tranché en biseau.
2. Servir les fines tranches de gravlax accompagnées de la sauce au wasabi.

PISTES HARMONIQUES DES LIQUIDES

Du blanc, en mode fraîcheur et anisé, façon sauvignon blanc et autres cépages complémentaires. Et surtout, ne pas servir trop froid, car le « goût de froid » de ces aliments rehaussera la perception de froideur du vin ! Eh oui ! Si cela semble la répétition des recommandations du saumon en mode « goût de froid », c'est que ces deux thèmes sont de la même famille !

ANETH/CORIANDRE/POIVRE CUBÈBE/WASABI

SAUMON MARINÉ « GRAVLAX » AU GOÛT DE FROID

ASTUCE AROMATIQUE

À vous de choisir la piste aromatique que vous voulez donner à votre recette de saumon mariné ! Contrairement à notre recette de gravlax « en mode anisé », autour du trio aneth/menthe fraîche/arak, ici nous sommes partis sur la piste des aliments provoquant de la fraîcheur en bouche, donc au « goût de froid », comme le poivre cubèbe, dont la sensation de fraîcheur dure encore plus longtemps que celle de la menthe !

INGRÉDIENTS

GRAVLAX

100 g (½ tasse) de gros sel de mer
85 g (½ tasse) de cassonade
7,5 ml (1 ½ c. à thé) de graines de coriandre, torréfiées et concassées
5 ml (1 c. à thé) de poivre cubèbe, concassé
125 ml (½ tasse) de zestes d'orange (environ 3 oranges)
½ bouquet d'aneth, finement haché
60 ml (¼ tasse) de vermouth rouge
1 filet de saumon d'environ 1,5 kg (3 lb) sans peau et sans arêtes

SAUCE AU WASABI

118 ml (½ tasse) de yogourt nature
5 ml (1 c. à thé) de wasabi
10 ml (2 c. à thé) de coriandre, finement hachée

PRÉPARATION

1. **Gravlax.** Dans un bol, mélanger le gros sel, la cassonade, les graines de coriandre, le poivre de cubèbe, les zestes d'orange et le vermouth.
2. Ajouter immédiatement au mélange l'aneth finement haché*. Mélanger et réserver.
3. Sur le plan de travail, dérouler une pellicule plastique et étendre la moitié du mélange au centre.
4. Déposer le saumon sur le mélange et le recouvrir du reste de la préparation.
5. Refermer la pellicule plastique hermétiquement et déposer sur une plaque à biscuits. Réfrigérer pendant 24 heures.
6. Retirer la pellicule plastique et rincer le filet de saumon à l'eau courante bien froide. Éponger le filet à l'aide d'un papier absorbant. Réserver au réfrigérateur.
7. **Sauce au wasabi.** Dans un bol à mélanger, verser le yogourt nature et le wasabi. Mélanger.
8. Ajouter la coriandre finement hachée. Mélanger et réfrigérer.

* Il est important de hacher les herbes fraîches à la dernière minute pour prévenir l'oxydation (noircissement).

FINITION

1. À l'aide d'un couteau bien aiguisé, tailler le gravlax en tranches très fines. Noter que le gravlax est traditionnellement tranché en biseau.
2. Servir les fines tranches de gravlax accompagnées de la sauce au wasabi.

 PISTES HARMONIQUES DES LIQUIDES

Du blanc, en mode fraîcheur et anisé, façon sauvignon blanc et autres cépages complémentaires. Et surtout, ne pas servir trop froid, car le « goût de froid » de ces aliments rehaussera la perception de froideur du vin !

ANETH/CORIANDRE FRAÎCHE/GINGEMBRE/CITRON VERT

TARTARE DE SAUMON ASIATIQUE
« EN MODE ANISÉ ET GOÛT DE FROID »

ASTUCE AROMATIQUE

Donner une piste aromatique précise à votre classique recette de tartare permet de mieux peaufiner l'harmonie avec le vin, tout comme de dynamiser les saveurs ajoutées au tartare. Dans la recette qui suit, il n'y a que des aliments au profil de saveurs anisées et « goût de froid ».

INGRÉDIENTS

15 g (1 c. à soupe) de câpres, égouttées et hachées finement

5 ml (1 c. à thé) de gingembre frais, pelée et haché finement

3 échalotes grises, hachées finement

4 oignons verts, hachés finement

1 bouquet de ciboulette fraîche, lavée et asséchée

1 bouquet d'aneth frais, lavé et asséché

1 bouquet de coriandre fraîche, lavée et asséchée

454 g (1 lb) de saumon frais (très frais) sans peau ni arêtes

15 ml (1 c. à soupe comble) de mayonnaise

1 pointe de couteau de wasabi

Jus d'un demi-citron vert

5 ml (1 c. à thé) de mirin

2,5 ml (½ c. à thé) de vinaigre de riz

Sel de mer et poivre fraîchement moulu

PRÉPARATION

1. À l'aide d'un couteau de chef bien aiguisé, tailler finement le saumon frais. Le déposer dans un grand bol à mélanger en verre. Recouvrir d'une pellicule plastique et réserver au réfrigérateur.

FINITION

1. Dans un bol, mélanger la mayonnaise, le wasabi, le jus de citron vert, le mirin, le vinaigre de riz, le sel et le poivre.

2. Ajouter les aromates, sauf les herbes fraîches. Mélanger.

3. Ajouter immédiatement au mélange les herbes finement hachées.

4. Sortir le saumon du réfrigérateur. Ajouter le mélange de mayonnaise et d'aromates. Mélanger pour que la préparation soit homogène. Rectifier l'assaisonnement au besoin. Servir immédiatement.

Note : il est important de hacher les herbes fraîches à la dernière minute pour prévenir l'oxydation (noircissement).

PISTES HARMONIQUES DES LIQUIDES

Servez les vins composés de cépages engendrant ces saveurs anisées et à « goût de froid », comme c'est le cas du grüner veltliner, du chardonnay de climat frais non boisé, du romorantin, du verdejo et du sauvignon blanc. Enfin, un thé vert sencha, servi chaud ou frais, participe aussi à cette sensation.

CARDAMOME/CITRON/PAMPLEMOUSSE ROSE/RIESLING

BLANQUETTE DE CUISSES DE VOLAILLE AU RIESLING

ASTUCE AROMATIQUE

Comme les arômes du riesling sont de même nature que la cardamome, le citron et le pamplemousse rose, il suffisait de les rassembler pour que cette blanquette prenne un air de... riesling !

INGRÉDIENTS

4 cuisses de poulet

15 g (1 c. à soupe) de beurre salé

2 oignons jaunes moyens, taillés en 8

3 gousses d'ail, écrasées

3 graines entières de cardamome verte

Zestes d'un demi-pamplemousse rose

4 carottes jaunes moyennes, taillées en gros morceaux

3 branches de céleri, taillées grossièrement

15 ml (1 c. à soupe) de farine blanche

½ bouteille (325 ml) de riesling

750 ml (3 tasses) de bouillon de volaille

Jus d'un citron

125 ml (½ tasse) de crème 35 % à cuisson

Sel

PRÉPARATION

1. Séparer les cuisses de poulet en deux (pilons et hauts de cuisse). Retirer la peau. Dans une casserole d'eau bouillante non salée, les faire bouillir 2 minutes pour raidir la chair.

2. Retirer la viande, sans conserver le liquide, puis la rincer à l'eau froide pour stopper la cuisson. Réserver.

3. Dans une grande casserole en fonte émaillée, faire chauffer le beurre. Ajouter les oignons, l'ail, la cardamome, les zestes de pamplemousse rose, les carottes jaunes et le céleri. Faire suer sans coloration.

4. Ajouter la farine. Faire revenir encore une minute pour bien amalgamer et ajouter les morceaux de poulet. Bien remuer, puis mouiller avec le vin blanc.

5. Réduire le vin de moitié. Ajouter le bouillon de volaille et le jus de citron.

6. Porter à ébullition et cuire à feu doux pendant 25 minutes.

7. Verser la crème, rectifier l'assaisonnement. Déguster.

PISTES HARMONIQUES DES LIQUIDES

Ici, pas besoin d'un dessin j'imagine. En plus du riesling, pensez à un albariño d'appellation Rias Baixa (Espagne). Puis osez une bière de microbrasserie québécoise de type india pale ale.

BLANQUETTE DE CUISSES DE VOLAILLE AU SAUVIGNON BLANC

ASTUCE AROMATIQUE

Sur le même principe que la recette de blanquette de cuisses de volaille au riesling (voir recette précédente), j'ai pensé créer une version pour sauvignon blanc. Basilic, carotte jaune, céleri, estragon, tous sont sur le mode aromatique de ce cépage. Mais vous pourriez opter aussi pour la menthe ou la coriandre, ainsi que le panais ou le céleri-rave !

INGRÉDIENTS

4 cuisses de poulet (avec les hauts de cuisse)

15 ml (1 c. à soupe) de beurre salé

2 oignons jaunes moyens, taillés en 8

3 gousses d'ail, écrasées

4 carottes jaunes moyennes, en gros morceaux

1 feuille de laurier

4 branches de céleri, taillées grossièrement

15 ml (1 c. à soupe) de farine blanche

½ bouteille (325 ml) de sauvignon blanc

750 ml (3 tasses) de bouillon de volaille

½ bouquet (½ tasse) de feuille de basilic frais, haché

3 branches d'estragon frais, haché

Sel fin

PRÉPARATION

1. Séparer les cuisses de poulet en deux (pilons et hauts de cuisse), puis retirer la peau.

2. Placer les morceaux de poulet dans une casserole d'eau bouillante non salée, faire bouillir 2 minutes pour raidir la chair.

3. Retirer la viande, sans conserver le liquide, puis la rincer à l'eau froide pour stopper la cuisson. Réserver.

4. Dans une grande casserole en fonte émaillée, faire chauffer le beurre, ajouter les oignons, l'ail, les carottes jaunes, la feuille de laurier et les morceaux de céleri. Faire suer sans coloration, puis ajouter la farine.

5. Faire revenir encore une minute pour bien amalgamer et ajouter les morceaux de poulet. Bien remuer et mouiller avec le vin blanc.

6. Réduire le vin de moitié, puis ajouter le bouillon de volaille.

7. Porter à ébullition et cuire à feu doux pendant 25 minutes.

8. À la fin de la cuisson, ajouter les herbes fraîches hachées et rectifier l'assaisonnement en sel, faire mijoter encore quelques minutes pour exprimer les saveurs des herbes fraîches au maximum puis déguster.

PISTES HARMONIQUES DES LIQUIDES

Bien que ce plat soit pensé pour le sauvignon blanc, l'harmonie étant parfaite avec ce dernier, vous pouvez aussi oser un rouge à base de syrah, en mode fraîcheur et au corps modéré, comme ce cépage à un profil anisé proche parent du sauvignon.

CARDAMOME/GIROFLE/LAURIER/ROMARIN

CUISSES DE POULET BRAISÉES AU VIN ROUGE POUR CABERNET DU NOUVEAU MONDE

ASTUCE AROMATIQUE

Une fois que l'on sait que la cardamome, le laurier et le romarin sont aussi sur la piste aromatique des notes d'eucalyptus des cabernets du Nouveau Monde, on sait que la rencontre de tout ce beau monde ne peut qu'être explosive !

INGRÉDIENTS

4 cuisses de poulet

Sel fin en quantité suffisante

15 ml (1 c. à soupe) de farine blanche

45 ml (3 c. à soupe) d'huile d'olive

30 ml (2 c. à soupe) de beurre salé

1 bouteille de 750 ml de cabernet du Chili

2 oignons jaunes moyens, taillés en 8

6 carottes moyennes, en gros morceaux

3 gousses d'ail, écrasées

3 feuilles de laurier

3 branches de romarin frais

4 branches de céleri, en gros morceaux

2 étoiles de badiane (anis étoilé)

5 clous de girofle concassés

3 graines entières de cardamome verte

15 ml (1 c. à soupe) de pâte de tomates

750 ml (3 tasses) de bouillon de volaille

PRÉPARATION

1. Préchauffer le four à 160 °C (325 °F).

2. Tailler les cuisses de poulet en deux (pilons et hauts de cuisse).

3. Les déposer sur un plateau, les saler et les fariner.

4. Faire chauffer 2 c. à soupe d'huile et 1 c. à soupe de beurre dans une sauteuse, et faire colorer les morceaux de cuisse sur toutes leurs faces. Les retirer et réserver.

5. Enlever l'excédent de graisse de la sauteuse, et verser le vin rouge pour déglacer et ainsi récupérer les sucs collés au fond. Faire bouillir quelques minutes pour évaporer l'alcool. Réserver.

6. Dans une grande casserole en fonte émaillée, faire chauffer le reste de l'huile et du beurre. Ajouter les oignons, les carottes et les gousses d'ail écrasées. Faire blondir le tout. Ajouter les herbes et les épices. Faire revenir encore une minute pour exprimer les arômes des épices. Ajouter la pâte de tomates et bien amalgamer.

7. Déposer les morceaux de poulet dans la casserole, remuer et mouiller avec le vin rouge réduit et le bouillon de volaille. Ajouter la cassonade puis porter à ébullition.

8. Cuire au four à couvert pendant environ 1 h 15. Vérifier la cuisson du poulet.

9. Déposer les morceaux de poulet sur une plaque allant au four.

10. Passer le jus de cuisson au tamis fin dans une casserole, et faire réduire pour obtenir une belle consistance « nappante ».

11. Au moment du service, passer rapidement les morceaux de poulet sous le gril pour que la peau devienne croustillante. Les mettre sur le plat de service et les napper avec la sauce. Déguster.

PISTES HARMONIQUES DES LIQUIDES

Sortez vos cabernets sauvignons australiens, californiens et chiliens, plus particulièrement ceux dotés d'un profil eucalyptus – ils sont très nombreux.

ANIS ÉTOILÉ/OLIVE NOIRE/POIVRE/THÉ NOIR/THYM

CUISSES DE POULET BRAISÉES AU VIN ROUGE POUR SYRAH/SHIRAZ

ASTUCE AROMATIQUE

Comme nous l'avons fait dans notre recette de cuisses de poulet braisées pour cabernet du Nouveau Monde (voir recette, page 113), nous avons ici privilégié les aliments de même famille aromatique que les arômes dominants dans les vins de syrah.

INGRÉDIENTS

4 cuisses de poulet

Sel en quantité suffisante

15 g (1 c. à soupe) de farine blanche

45 ml (3 c. à soupe) d'huile d'olive

30 g (2 c. à soupe) de beurre salé

1 bouteille (750 ml) de syrah

2 oignons jaunes moyens, taillés en 8

4 carottes moyennes, en gros morceaux

3 gousses d'ail, écrasées

1 feuille de laurier

3 branches de thym frais

4 branches de céleri, en gros morceaux

2 étoiles de badiane (anis étoilé)

80 g (½ tasse) d'olives noires marocaines, dénoyautées

5 ml (1 c. à thé) de thé noir

7,5 ml (1 ½ c. à thé) de poivre en grains concassés

15 g (1 c. à soupe) de pâte de tomates

750 ml (3 tasses) de bouillon de volaille

PRÉPARATION

1. Préchauffer le four à 160 °C (325 °F).

2. Séparer les cuisses de poulet en deux (pilons et hauts de cuisse).

3. Les déposer sur un plateau, les saler et les fariner.

4. Faire chauffer 2 c. à soupe d'huile et 1 c. à soupe de beurre dans une sauteuse. Faire colorer les morceaux de cuisse sur toutes les faces. Les retirer et réserver.

5. Enlever l'excédent de graisse de la sauteuse. Verser le vin rouge pour déglacer et ainsi récupérer les sucs collés au fond. Faire bouillir quelques minutes pour évaporer l'alcool. Réserver.

6. Dans une grande casserole en fonte émaillée, faire chauffer le reste de l'huile et le beurre, ajouter les oignons, les carottes et les gousses d'ail écrasées. Faire blondir le tout. Ajouter les herbes, les épices et les olives noires dénoyautées. Faire revenir encore une minute pour exprimer tous les arômes. Ajouter la pâte de tomates, bien amalgamer.

7. Déposer les morceaux de poulet dans la casserole, remuer et mouiller avec le vin rouge réduit et le bouillon de volaille. Ajouter la cassonade, puis porter à ébullition.

8. Cuire au four à couvert pendant environ 1 h 15. Vérifier la cuisson du poulet.

9. Déposer les morceaux de poulet sur une plaque allant au four.

10. Passer le jus de cuisson au tamis fin dans une casserole, et faire réduire pour obtenir une belle consistance « nappante ».

11. Au moment du service, passer rapidement les morceaux de poulet sous le gril pour que la peau devienne croustillante. Les mettre sur le plat de service et les napper avec la sauce. Déguster.

PISTES HARMONIQUES DES LIQUIDES

Servez vos syrahs préférées, qu'elles soient du Rhône, du Languedoc tout comme du Nouveau Monde, où elle prend le nom de shiraz.

FARCE DE DINDE AU RIZ SAUVAGE ET CHAMPIGNONS

ASTUCE AROMATIQUE

Champignons, riz sauvage et scotch sont sur le même mode aromatique que la peau de dinde cuite, créant ainsi une farce plus savoureuse que jamais. Pour compléter le lien harmonique de cette création, voir notre recette de Cuisson de la dinde au scotch (page 117).

INGRÉDIENTS

100 g (³/₅ tasse) de riz sauvage
3 tranches de pain, écroutées
30 ml (2 c. à soupe) de lait 3,25 %
1 barquette (8 oz) de champignons de Paris, émincés
30 g (2 c. à soupe) de beurre
3 oignons jaunes, hachés finement
3 œufs
250 g (½ lb) de veau haché mi-maigre
250 g (½ lb) de porc haché mi-maigre
250 g (½ lb) de gras de porc haché
30 ml (2 c. à soupe) de scotch
5 ml (1 c. à thé) de clou de girofle moulu
Sel, poivre, au goût

PRÉPARATION

1. Dans une casserole, faire bouillir (1 ¹/₅ tasse) d'eau salée et cuire le riz sauvage à couvert et à feu doux pendant 35 à 40 minutes. Laisser refroidir complètement à couvert.

2. Dans un petit bol, faire tremper les tranches de pain dans le lait.

3. Dans une grande poêle, faire colorer les champignons dans le beurre. Réserver.

4. Dans la même poêle, faire blondir les oignons. Réserver avec les champignons et rectifier l'assaisonnement en sel. Laisser refroidir complètement.

5. Dans le bol d'un mélangeur, mixer le pain trempé dans le lait et les œufs, jusqu'à ce que le mélange forme une crème lisse.

6. Dans un grand bol, mélanger les trois viandes. Ajouter tous les éléments préparés, qui doivent être complètement froids. Ajouter le scotch et le clou de girofle.

7. Pour vérifier l'assaisonnement, faire cuire une petite quantité de farce dans une poêle et goûter. Rectifier si nécessaire. Farcir la dinde…

PISTES HARMONIQUES DES LIQUIDES

Ici, la piste harmonique est celle des vins blancs et rouges ayant séjourné dans le chêne, plus particulièrement les blancs à base de chardonnay ou de roussanne, ainsi que les rouges de pinot noir.

CHAMPIGNON/RIZ SAUVAGE/SCOTCH

CUISSON DE LA DINDE AU SCOTCH

ASTUCE AROMATIQUE

Champignons, riz sauvage et scotch proposés dans la recette de farce (voir recette, page 116) sont sur le même mode aromatique que la peau cuite de celle-ci, créant ainsi une dinde explosive de saveurs. Vous pourriez aussi concocter une autre version au jus (ou laquée) à l'anis étoilé, pour donner de la longueur aux vins rouges, avec une farce sur la même piste anisée : légumes-racines, girofle, etc.

INGRÉDIENTS

1 jeune dindon de 4 kg (9 lb)
Sel
120 g (½ tasse) de beurre salé, en pommade
5 ml (1 c. à thé) de piment de la Jamaïque moulu
2 oignons jaunes, pelés et taillés
1 tête d'ail
3 carottes moyennes, pelées et taillées
Farce au riz sauvage et champignons (voir recettes page 116)
500 ml (2 tasses) de bouillon de bœuf non salé
30 ml (2 c. à soupe) de scotch

SAUMURE

¼ de volume de sel par volume d'eau
6 clous de girofle
1 bâton de cannelle
2 étoiles de badiane

PRÉPARATION

1. **Saumure.** La veille, dans une grande casserole pouvant contenir la dinde, mettre de l'eau à bouillir. Ajouter le sel et les épices, et faire frémir une minute, retirer du feu puis laisser refroidir complètement.

2. Plonger la dinde dans la saumure et placer au réfrigérateur pour la nuit.

3. **Dinde.** Préchauffer le four à 180 °C (350 °F) et placer la grille au milieu du four.

4. Retirer la dinde de la saumure et assécher l'intérieur et l'extérieur avec un papier absorbant.

5. Placer la farce à l'intérieur et ficeler les cuisses avec une ficelle de boucher.

6. Mélanger le beurre et le piment de la Jamaïque et masser la dinde avec ce mélange. Couvrir toute la surface de la bête.

7. Dans un plat à rôtir, déposer la dinde entourée des légumes, puis verser le scotch et le bouillon de bœuf. Cuire environ 2 h 45, en l'arrosant le plus souvent possible.

8. Laisser rôtir à découvert, jusqu'à ce que la peau de la dinde soit légèrement dorée, puis recouvrir d'une feuille de papier aluminium. Après 2 h de cuisson, retirer le papier aluminium pour que la peau devienne colorée et croustillante. Arroser plus souvent à cette étape. La dinde est cuite lorsque le thermomètre indique 74 °C (165 °F) dans les parties les plus charnues de la viande (les hauts de cuisse ou les poitrines). La farce doit atteindre la même température.

9. Laisser reposer la dinde dans le plat à température ambiante pendant 20 minutes pour permettre aux jus de se fixer dans la chair du volatile.

10. Tailler la dinde et déguster en famille : Joyeux Noël...

PISTES HARMONIQUES DES LIQUIDES

Ici, la piste harmonique est celle des vins blancs et rouges ayant séjourné dans le chêne, plus particulièrement les blancs à base de chardonnay ou de roussanne, ainsi que les rouges de pinot noir.

BALSAMIQUE/CÉLERI CUIT/CURRY/SOYA

FILET DE PORC EN SOUVLAKI

ASTUCE AROMATIQUE

Les classiques ne sont-ils pas là pour être revus de temps en temps ? En voilà un transformé par la piste aromatique du sotolon, qui est le composé volatil dominant dans le vinaigre balsamique, la sauce soya, le sel de céleri, le céleri cuit et le curry.

INGRÉDIENTS

10 ml (2 c. à thé) de pâte de curry jaune

Jus de 1 citron

4 gousses d'ail, hachées finement

187,5 ml (¾ de tasse) de feuilles de céleri, hachées

15 ml (1 c. à soupe) de sauce soya

5 ml (1 c. à thé) de vinaigre de balsamique

15 ml (1 c. à soupe) de moutarde

2,5 ml (½ c. à thé) de sel de céleri

800 g (environ 1 ¾ lb) de filet de porc

PRÉPARATION

1. Dans un bol à mélanger, verser la pâte de curry jaune, le jus de citron, l'ail, les feuilles de céleri, la sauce soya, le vinaigre balsamique, la moutarde et le sel de céleri. Mélanger le tout à l'aide d'un fouet. Réserver.

2. Tailler le filet en deux dans le sens de la longueur, puis en gros cubes.

3. Dans un bol en verre, déposer les cubes de porc et y verser la marinade. Mélanger avec les mains pour bien enduire chaque cube de porc. Couvrir d'une pellicule plastique. Réserver au réfrigérateur pendant une demi-journée.

4. Une heure avant de préparer les brochettes, déposer les bâtonnets de bambou dans un contenant et recouvrir d'eau froide.

5. Placer la grille au milieu du four et préchauffer en position gril.

6. Enfiler plusieurs cubes de porc mariné sur chaque brochette de bambou, déposer les souvlakis sur une plaque à biscuits et enfourner.

7. Cuire les brochettes 10 minutes sur un côté, les retourner et cuire un autre 10 minutes.

PISTES HARMONIQUES DES LIQUIDES

Les bières brunes à fort pourcentage d'alcool sont de mise, tout comme les xérès de type amontillado, surtout si vous servez ce filet en petites portions tapas. Sinon, un vin blanc mature, un brin oxydatif, tout comme un saké, sont aussi à privilégier.

BALSAMIQUE/BOUILLON DE BŒUF/SEL DE CÉLERI/
MADÈRE/MÉLASSE

 # FILET DE PORC LAQUÉ AU BOUILLON DE BŒUF, MADÈRE ET MÉLASSE

ASTUCE AROMATIQUE

Tout comme notre recette de filet de porc en souvlaki (voir recette, page 118), ce filet laqué est aussi cuisiné avec des aliments sur la piste du composé volatil nommé sotolon.

INGRÉDIENTS

60 ml (¼ tasse) de mélasse
30 ml (⅛ tasse) de bouillon de bœuf
30 ml (2 c. à soupe) de madère
15 ml (1 c. à soupe) de vinaigre balsamique
2,5 ml (½ c. à thé) de sel de céleri
30 ml (2 c. à soupe) d'huile végétale
30 g (2 c. à soupe) de beurre salé
2 filets de porc
Poivre du moulin

PRÉPARATION

1. Préchauffer le four à 200 °C (400 °F).
2. Dans une petite casserole à fond épais, verser la mélasse, le bouillon de bœuf, le madère, le vinaigre balsamique et le sel de céleri. Mélanger et faire bouillir la préparation.
3. Dans une grande poêle, verser l'huile et le beurre, et laisser chauffer jusqu'à ce que le beurre soit mousseux.
4. Faire saisir les filets de porc en prenant soin de les retourner pour bien marquer toutes les surfaces.
5. Déposer les filets dans un plat allant au four, puis les badigeonner de laque à l'aide d'un pinceau. Enfourner et cuire pendant 30 minutes, en retournant et en laquant les filets régulièrement, tout au long de la cuisson.
6. Quelques minutes avant la fin de la cuisson, augmenter la chaleur du four en position gril pour caraméliser les filets. Poivrer.
7. Tailler et servir immédiatement.

ASTUCES DE SERVICE

Vous pourriez le servir avec des dattes chaudes, des figues séchées ou le recouvrir au dernier moment d'un concassé de noix grillées avec un soupçon de curry dans la poêle. Tous sont sur la même piste.

PISTES HARMONIQUES DES LIQUIDES

Optez pour les mêmes propositions que celles données dans notre recette de filet de porc en souvlaki (voir recette, page 118).

CLOU DE GIROFLE

HACHIS PARMENTIER DE RÔTI DE PALETTE COMME UN CHILI

ASTUCE AROMATIQUE

Les parfums de notre chili de Cincinnati dominé par le profil du clou de girofle nous ont inspiré un succulent rôti de palette (voir ces deux recettes, pages 70 et 121), et maintenant, ce délirant hachis Parmentier !

INGRÉDIENTS

8 pommes de terre moyennes
Sel
125 ml (½ tasse) de lait 3,25 %, chaud
30 g (2 c. à soupe) de beurre salé
1 rôti de palette comme un chili effiloché (voir recette suivante)
Chapelure de croustilles de maïs (Tostitos)

PRÉPARATION

1. **Purée de pommes de terre.** Dans une grande casserole, cuire les pommes de terre à l'eau salée. Les égoutter et les réduire en purée à avec un pilon. Ajouter le lait et le beurre. Rectifier l'assaisonnement.

2. Déposer la chair de rôti de palette dans le fond d'un plat à gratin. Arroser d'un peu de jus, pour que la viande soit tendre.

3. Recouvrir la viande de purée et saupoudrer de chapelure. Cuire dans un four préchauffé à 180 °C (350 °F) 10 à 15 minutes si la préparation est chaude, ou 30 à 45 minutes si elle a refroidi.

RÔTI DE PALETTE « COMME UN CHILI DE CINCINNATI »

INGRÉDIENTS

1 rôti de palette
2 gros oignons jaunes, hachés
1 branche de céleri, en dés
30 ml (2 c. à soupe) d'huile d'olive
7,5 ml (1 ½ c. à thé) de sel de mer
5 ml (1 c. à thé) de cannelle moulue
7,5 ml (1 ½ c. à thé) de clou de girofle moulu
22,5 ml (1 ½ c. à soupe) de poudre de chili
5 ml (1 c. à thé) de quatre-épices
30 g (2 c. à soupe) de concentré de tomates
1 grosse boîte (796 ml/28 oz) de tomates en dés, égouttées
750 ml (3 tasses) de bouillon de bœuf sans sel
15 ml (1 c. à soupe) de sauce anglaise Worcestershire
1 feuille de laurier
22,5 g (1 ½ c. à soupe) de cassonade
1 grosse boîte (540 ml/19 oz) de haricots rouges, égouttés et rincés

PRÉPARATION

1. Préchauffer le four à 120 °C (250 °F).

2. Dans une grande casserole à fond épais, faire colorer le rôti de palette sur toutes ses faces. Réserver.

3. Dans la même casserole, faire revenir l'oignon et le céleri dans l'huile d'olive.

4. Ajouter le sel, la cannelle, le clou de girofle, la poudre de chili et le quatre-épices. Remuer et continuer la cuisson quelques minutes.

5. Ajouter le concentré de tomates, faire revenir en remuant. Ajouter les tomates en dés, le bouillon de bœuf, la sauce Worcestershire, la feuille de laurier et la cassonade. Enfourner et faire mijoter environ 3 heures.

6. Sortir la casserole, puis ajouter les haricots rouges. Remettre au four pendant 25 minutes, jusqu'à ce que les haricots soient chauds.

7. Rectifier l'assaisonnement.

PISTES HARMONIQUES DES LIQUIDES

Vins rouges élevés en barriques : rioja/ribera del duero/bierzo/cariñena/petite sirah.

CLOU DE GIROFLE/PATATE DOUCE

HACHIS PARMENTIER DE RÔTI DE PALETTE COMME UN CHILI ET PATATES DOUCES

ASTUCE AROMATIQUE

Pour faire suite à notre précédente recette, ici nous avons ajouté la patate douce, aussi sur la même piste aromatique que le clou de girofle et que tous les ingrédients de cette recette fumante.

INGRÉDIENTS

8 patates douces moyennes
Sel
125 ml (½ tasse) de lait 3,25 %, chaud
30 g (2 c. à soupe) de beurre salé
5 ml (1 c. à thé) de clou de girofle moulu
1 rôti de palette comme un chili (voir recette, page 121), effiloché
Chapelure de croustilles de maïs (Tostitos)

PRÉPARATION

1. **Purée de patates douces.** Dans une grande casserole, cuire les patates à l'eau salée. Les égoutter et les réduire en purée avec un pilon. Ajouter le lait chaud, le beurre et le clou de girofle. Rectifier l'assaisonnement.

2. Déposer la chair de rôti de palette dans le fond d'un plat à gratin. Arroser d'un peu de jus, pour que la viande soit tendre.

3. Recouvrir la viande de purée et saupoudrer de chapelure. Cuire dans un four préchauffé à 180 °C (350 °F) 10 à 15 minutes si la préparation est chaude, ou 30 à 45 minutes si elle a refroidi.

PISTES HARMONIQUES DES LIQUIDES

Même choix de vins rouges que dans la précédente recette de hachis Parmentier avec, en plus, la possibilité de servir un blanc boisé de chardonnay, plus particulièrement du Nouveau Monde.

HACHIS PARMENTIER DE RÔTI DE PALETTE COMME UN CHILI, PURÉE DE RUTABAGA À L'ANIS ÉTOILÉ

ASTUCE AROMATIQUE

Vous avez compris l'astuce, l'anis étoilé et le rutabaga sont aussi sur la piste aromatique du clou de girofle et des autres ingrédients de ce hachis de rôti comme un chili !

INGRÉDIENTS

2 gros rutabagas
125 ml (½ tasse) de crème 35 %, chaude
30 ml (2 c. à soupe) de beurre salé
5 ml (1 c. à thé) de poudre d'anis étoilé
Sel
1 rôti de palette comme un chili (voir recette, page 121), effiloché
Chapelure de croustilles de maïs (Tostitos)

PRÉPARATION

1. Préparer une purée de rutabagas. Dans une grande casserole, cuire les rutabagas. Les égoutter et les réduire en purée dans un mixeur, en y ajoutant la crème chaude et le beurre. Ajouter la poudre d'anis étoilé et rectifier l'assaisonnement.

2. Déposer la chair de rôti de palette dans le fond d'un plat à gratin. Arroser d'un peu de jus, pour que la viande soit onctueuse.

3. Recouvrir la viande de purée et saupoudrer de chapelure. Cuire dans un four préchauffé à 180 °C (350 °F) 10 à 15 minutes si la préparation est chaude, ou 30 à 45 minutes si elle a refroidi.

PISTES HARMONIQUES DES LIQUIDES

Vins rouges élevés en barriques : rioja/ribera del duero/bierzo/cariñena/petite sirah. Ah oui, l'anis étoilé et le rutabaga permettent aussi un blanc, plus particulièrement un fumé blanc du Nouveau Monde, au profil boisé.

HARIRA MAROCAINE AU THYM

ASTUCE AROMATIQUE

Comme le thym partage les mêmes composés aromatiques dominants que la viande d'agneau, laquelle constitue le cœur protéiné de cette soupe classique, nous l'avons ajustée avec des ingrédients sur le même mode volatil que le thym. Puis nous avons aussi opté pour une autre version en mode anisé.

INGRÉDIENTS

TADOUIRA

25 g (3 ½ c. à soupe) de farine
325 ml (1 ²/₅ tasse) d'eau
5 ml (1 c. à thé) de jus de citron

300 g (10 ½ oz) d'agneau, taillé en dés
3 oignons jaunes moyens
1 branche de céleri
375 ml (1 ½ tasse) de pois chiches en boîte
1 branche de sauge, hachée
15 ml (1 c. à soupe) de gingembre frais, râpé
5 ml (1 c. à thé) de baies de genièvre, écrasées
1 branche de thym
1 branche de romarin
5 ml (1 c. à thé) de curcuma en poudre
125 ml (½ tasse) de lentilles sèches
3 tomates bien mûres
30 ml (2 c. à soupe) de pâte de tomates

PRÉPARATION

1. **Tadouira.** La veille, délayer la farine dans l'eau et y ajouter le jus de citron. Réserver sur le comptoir.
2. Le lendemain, placer l'agneau dans une grande casserole.
3. Mélanger les oignons avec la branche de céleri et les ajouter à la viande.
4. Ajouter les épices et les herbes à la viande. Couvrir d'eau et laisser cuire 1 h 15 à feu moyen.
5. Ajouter les lentilles et les pois chiches. Cuire encore 30 minutes.
6. Mélanger les tomates et la pâte de tomates, et passer au tamis fin pour obtenir un coulis lisse. Ajouter le coulis de tomates et poursuivre la cuisson encore une dizaine de minutes.
7. Ajouter la tadouira et laisser cuire 10 minutes sans cesser de remuer.
8. Déguster.

 ## PISTES HARMONIQUES DES LIQUIDES

La piste du thym est celle des vins du Midi, à base des cépages grenache, mourvèdre et syrah, entre autres, qui s'expriment par des tonalités aromatiques de garrigue. Qu'ils soient du Languedoc ou du Rhône méridional, tout comme des autres pays du bassin méditerranéen, ces vins entrent en synergie avec cette soupe.

CARVI/CUMIN/CÉLERI/CORIANDRE FRAÎCHE/PERSIL

HARIRA MAROCAINE EN MODE ANISÉ

ASTUCE AROMATIQUE

Contrairement à notre précédente version autour du thym, ici nous avons opté pour une soupe marocaine sur le mode anisé, donc avec les ingrédients de cette famille : céleri, coriandre fraîche, persil, cumin et carvi. Ils modifient ainsi r le gène aromatique de cette soupe, même si l'agneau y demeure présent.

INGRÉDIENTS

TADOUIRA

25 g (3 ½ c. à soupe) de farine
325 ml (1 ²/₅ tasse) d'eau
5 ml (1 c. à thé) de jus de citron

300 g (10 ½ oz) d'agneau, en dés
3 oignons jaunes moyens
2 branches de céleri
1 bouquet de persil plat, haché
5 ml (1 c. à thé) de cumin
375 ml (1 ½ tasse) de pois chiches en boîte
125 ml (½ tasse) de lentilles sèches
3 tomates bien mûres
15 ml (1 c. à soupe) de pâte de tomates
1 bouquet de coriandre fraîche, haché
10 ml (2 c. à thé) de carvi, moulu

PRÉPARATION

1. **Tadouira.** La veille, délayer la farine dans l'eau et y ajouter le jus de citron. Réserver sur le comptoir.
2. Le lendemain, placer l'agneau dans une grande casserole.
3. Mélanger les oignons avec le céleri et les ajouter à la viande.
4. Ajouter le persil et le cumin à la viande. Couvrir d'eau et laisser cuire 1 h 15 à feu moyen.
5. Ajouter les lentilles et les pois chiches. Cuire encore 30 minutes.
6. Mélanger les tomates et la pâte de tomates et passer au tamis fin pour obtenir un coulis lisse. Ajouter le coulis de tomates, la coriandre et le carvi et poursuivre la cuisson encore une dizaine de minutes.
7. Ajouter la tadouira et laisser cuire 10 minutes sans cesser de remuer.
8. Déguster.

PISTES HARMONIQUES DES LIQUIDES

La piste aromatique des aliments à goût anisé est aussi celle des vins de sauvignon blanc, tout comme ceux des cépages complémentaires à ce dernier, comme le sont les vins de grüner veltliner, de romorantin, de greco di Tufo et de verdejo.

BIÈRE NOIRE/CLOU DE GIROFLE/SIROP D'ÉRABLE

JAMBON AU SIROP D'ÉRABLE

ASTUCE AROMATIQUE

Difficile de manquer un jambon au sirop d'érable ! Encore plus difficile de ne pas se laisser prendre au jeu aromatique des pistes lancées par l'érable, en le cuisinant avec de la bière noire et du girofle, deux ingrédients de même famille que notre sirop pure laine. Votre temps des sucres ne sera plus le même !

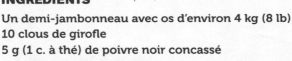

INGRÉDIENTS

Un demi-jambonneau avec os d'environ 4 kg (8 lb)
10 clous de girofle
5 g (1 c. à thé) de poivre noir concassé
1 bouteille (440 ml) de bière noire
375 ml (1 ½ tasse) de sirop d'érable
Eau froide (quantité suffisante)

PRÉPARATION

1. Dans une grande casserole munie d'un couvercle, déposer le jambon, les clous de girofle et le poivre. Verser la bière et le sirop d'érable, puis recouvrir d'eau froide. Couvrir et faire mijoter le tout pendant 3 heures.
2. Une fois la cuisson terminée, laisser le jambon refroidir dans son liquide* pendant 1 heure.
3. Préchauffer le four à 350 °F (180 °C).
4. Déposer le jambon dans un plat allant au four et cuire de 45 minutes à 1 heure. Il est important de bien arroser le jambon plusieurs fois durant la cuisson pour qu'il soit parfaitement glacé.

*Ne pas jeter le bouillon dans lequel le jambon a été cuit, car il est une excellente base pour concocter une soupe aux pois ou aux légumes !

PISTES HARMONIQUES DES LIQUIDES

Une bière noire, ou une brune extraforte. Mais aussi un vin rouge de soleil, d'assemblage GSM (grenache/syrah/mourvèdre) élevé en barriques.

MOUSSAKA TRADITIONNELLE À L'AGNEAU

ASTUCE AROMATIQUE

A partir de cette classique moussaka à base d'agneau, plusieurs pistes sont possibles en tenant compte du profil aromatique de la viande d'agneau, qui conduit à de nombreux aliments complémentaires : l'olive noire, le thym, l'origan, la livèche, la bergamote (thé Earl Grey), le laurier, le romarin, le genièvre, la sauge, la lavande, le safran et le gingembre.

INGRÉDIENTS

3 grosses aubergines
Huile d'olive
1 ½ kg (3 lb) d'agneau, haché
1 gros oignon jaune
6 gousses d'ail, hachées
15 ml (1 c. à soupe) de pâte de tomates
1 boîte (796 ml/28 oz) de tomates en dés
½ bouquet de sarriette ou de thym frais
2,5 ml (½ c. à thé) de piment de la Jamaïque en poudre
3 clous de girofle, concassés
2,5 ml (½ c. à thé) de cannelle moulue
125 ml (½ tasse) de chapelure
Sel, poivre

PRÉPARATION

1. Préchauffer le four à 160 °C (325 °F).
2. Tailler les aubergines en tranches de 1 cm (2/5 po), sur le sens de la longueur. Saupoudrer de sel et laisser reposer pendant 30 minutes.
3. Dans une grande casserole à fond épais, chauffer un filet d'huile d'olive et faire revenir l'agneau jusqu'à ce qu'il soit bien coloré. Ajouter l'oignon et l'ail, et continuer à faire cuire quelques minutes.
4. Incorporer la pâte de tomates et les tomates en dés avec leur jus. Ajouter le thym (ou la sarriette) et les épices, et porter à ébullition. Couvrir et mettre au four pendant 40 minutes.
5. Pendant que la viande cuit, rincer les aubergines et les assécher sur un papier absorbant.
6. Dans une poêle, faire dorer les aubergines sur les deux côtés.
7. Dans un plat à gratin, monter la moussaka en alternant un rang d'aubergines, un rang de viande, et terminer avec la viande.
8. Parsemer la surface de chapelure. Arroser d'un filet d'huile d'olive et cuire à couvert pendant 30 minutes et à découvert pendant 30 minutes.
9. Déguster.

PISTES HARMONIQUES DES LIQUIDES

Ici, il faut privilégier les vins rouges du bassin méditerranéen, comme ceux à base de syrah, de grenache et de mourvèdre, qui embaument des notes de garrigue sur la même tonalité que celle de la viande d'agneau et du thym. En blanc, vous pouvez aussi considérer un riesling, qui est aussi de même profil. Étonnant, mais scientifiquement prouvé !

AGNEAU/THYM/OLIVE NOIRE

MOUSSAKA À L'AGNEAU SUR LA PISTE DU THYM

ASTUCE AROMATIQUE

À partir de cette classique moussaka à base d'agneau, plusieurs pistes sont possibles en tenant compte du profil aromatique de la viande d'agneau, qui conduit au thym et à ses aliments complémentaires : l'olive noire, l'origan, la livèche, la bergamote (thé Earl Grey), le laurier, le romarin, le genièvre, la sauge, la lavande, le safran et le gingembre.

INGRÉDIENTS

3 grosses aubergines
Huile d'olive
1 ½ kg (3 lb) d'agneau, haché
1 gros oignon jaune, haché
6 gousses d'ail, hachées
15 ml (1 c. à soupe) de pâte de tomates
1 boîte (796 ml/28 oz) de tomates en dés
125 ml (½ tasse) d'olives noires marocaines, dénoyautées
5 ml (1 c. à thé) de baies de genièvre
1 feuille de laurier
2,5 ml (½ c. à thé) de safran
5 ml (1 c. à thé) de gingembre frais, râpé
3 feuilles de sauge fraîche
3 branches de thym frais
1 branche de romarin, effeuillée
125 ml (½ tasse) de chapelure
Sel, poivre

PRÉPARATION

1. Préchauffer le four à 160 °C (325 °F).
2. Tailler les aubergines en tranches de 1 cm (2/5 po), sur le sens de la longueur. Saupoudrer de sel et laisser reposer pendant 30 minutes.

3. Dans une grande casserole à fond épais, chauffer un filet d'huile d'olive et faire revenir l'agneau jusqu'à ce qu'il soit bien coloré. Ajouter l'oignon et l'ail, et continuer à faire cuire quelques minutes.

4. Incorporer la pâte de tomates et les tomates en dés avec leur jus. Ajouter les épices et les herbes, et porter à ébullition. Couvrir et mettre au four pendant 40 minutes.

5. Pendant que la viande cuit, rincer les aubergines et les assécher sur un papier absorbant.

6. Dans une poêle, faire dorer les aubergines sur les deux côtés.

7. Dans un plat à gratin, monter la moussaka en alternant un rang d'aubergines, un rang de viande, et terminer avec la viande.

8. Parsemer la surface de chapelure. Arroser d'un filet d'huile d'olive et cuire à couvert pendant 30 minutes, puis à découvert pendant 30 minutes.

9. Déguster.

PISTES HARMONIQUES DES LIQUIDES

Ici, il faut privilégier les vins rouges du bassin méditerranéen, comme ceux à base de syrah, de grenache et de mourvèdre, qui embaument des notes de garrigue, sur la même tonalité que celle de la viande d'agneau et du thym. En blanc, vous pouvez aussi considérer un riesling, qui est aussi de même profil. Étonnant, mais scientifiquement prouvé !

BŒUF/CLOU DE GIROFLE/PIMENT DE LA JAMAÏQUE/MOZZARELLA

MOUSSAKA AU BŒUF

ASTUCE AROMATIQUE

Une autre version de moussaka, cette fois sur la piste du bœuf et du clou de girofle (sans thym ni sarriette comme dans nos autres recettes à base d'agneau), donc avec les aliments complémentaires à ces derniers : mozzarella, piment de la Jamaïque, cannelle...

INGRÉDIENTS

3 grosses aubergines
Huile d'olive
1 ½ kg (3 lb) de bœuf, haché
1 gros oignon jaune, haché
6 gousses d'ail, hachées
15 ml (1 c. à soupe) de pâte de tomates
1 boîte (796 ml/28 oz) de tomates en dés
2,5 ml (½ c. à thé) de piment de la Jamaïque en poudre
3 clous de girofle, concassés
2,5 ml (½ c. à thé) de cannelle moulue
250 ml (1 tasse) de mozzarella râpée
Sel, poivre

PRÉPARATION

1. Préchauffer le four à 160 °C (325 °F).

2. Tailler les aubergines en tranches de 1 cm (2/5 po), sur le sens de la longueur. Saupoudrer de sel et laisser reposer pendant 30 minutes.

3. Dans une grande casserole à fond épais, chauffer un filet d'huile d'olive et faire revenir la viande jusqu'à ce qu'elle soit bien colorée. Ajouter l'oignon et l'ail, et continuer à faire cuire quelques minutes.

4. Incorporer la pâte de tomates et les tomates en dés avec leur jus. Ajouter les épices et porter à ébullition. Couvrir et mettre au four pendant 40 minutes.

5. Pendant que la viande cuit, rincer les aubergines et les assécher sur un papier absorbant.

6. Dans une poêle, mettre de l'huile et du beurre et faire dorer les aubergines sur les deux côtés.

7. Dans un plat à gratin, monter la moussaka en alternant un rang d'aubergines, un rang de viande, et terminer avec la viande.

8. Parsemer la surface de fromage râpé. Arroser d'un filet d'huile d'olive et cuire à couvert pendant 30 minutes, puis à découvert pendant 30 minutes.

9. Déguster.

PISTES HARMONIQUES DES LIQUIDES

Tous les rouges élevés en barriques, à base des cépages tempranillo et/ou grenache, ainsi que de pinot noir, sont les bienvenus.

GRAINES DE CORIANDRE/ORANGE

OSSO BUCO DE VEAU, GREMOLATA À L'ORANGE ET GRAINES DE CORIANDRE

ASTUCE AROMATIQUE

Grand classique italien s'il en est un, nous avons ajouté les graines de coriandre à l'orange dans la gremolata, question de renforcer la synergie aromatique – c'est que ces deux ingrédients vibrent à la même tonalité !

INGRÉDIENTS

4 tranches d'osso buco (jarret de veau) de 5 cm (2 po)

Sel et poivre du moulin

30 g (2 c. à soupe) de farine blanche

45 ml (3 c. à soupe) d'huile d'olive

15 g (1 c. à soupe) de beurre salé

1 gros oignon jaune, haché

2 gousses d'ail, écrasées

250 ml (1 tasse) de vin blanc

4 tomates bien mûres, en dés

3 carottes jaunes, en dés

1 branche de céleri, en dés
15 ml (1 c. à soupe) de pâte de tomates
1 branche de thym frais
375 ml (1 ½ tasse) de bouillon de bœuf

GREMOLATA
Zestes de 2 oranges navel non traitées
15 ml (1 c. à table) de graines de coriandre
80 ml (1/3 tasse) de persil plat haché
30 ml (2 c. à soupe) d'huile d'olive

PRÉPARATION

1. Préchauffer le four à 160 °C (325 °F).
2. Saler, poivrer et fariner les morceaux de viande.
3. Dans une grande casserole à fond épais munie d'un couvercle, faire colorer, dans l'huile d'olive, les morceaux de viande. Réserver.
4. Dans la même casserole, mettre le beurre et faire suer (sans coloration) l'oignon et l'ail. Déglacer avec le vin blanc et faire réduire de moitié. Ajouter tous les ingrédients à l'exception de la viande et porter à ébullition.
5. Déposer la viande dans le liquide bouillant. Couvrir et enfourner pendant 1 h 30.
6. Rectifier l'assaisonnement et contrôler le point de cuisson. Au besoin, remettre au four.
7. **Gremolata.** Mélanger, au dernier moment, tous les ingrédients dans un bol. Assaisonner et placer sur l'osso buco avant de servir.

PISTES HARMONIQUES DES LIQUIDES

En blanc, optez pour un puissant riesling australien, servi plus frais que froid. En rouge, pour un assemblage grenache/syrah/mourvèdre (GSM), qu'il soit australien ou rhodanien. Enfin, pensez aussi à une bière de type pale ale, qui vibre elle aussi sur la tonalité graines de coriandre/orange.

GRAINES DE CORIANDRE/EAU DE FLEUR D'ORANGER/ORANGE

OSSO BUCO DE VEAU, GREMOLATA À L'EAU DE FLEUR D'ORANGER

ASTUCE AROMATIQUE

À notre version aux graines de coriandre et à l'orange, il suffit d'ajouter de l'eau de fleur d'oranger pour tripler l'effet de synergie aromatique.

INGRÉDIENTS

4 tranches d'osso buco (jarret de veau) de 5 cm (2 po)
Sel et poivre du moulin

30 g (2 c. à soupe) de farine blanche
45 ml (3 c. à soupe) d'huile d'olive
15 g (1 c. à soupe) de beurre salé
1 gros oignon jaune, haché
2 gousses d'ail, écrasées
250 ml (1 tasse) de vin blanc
4 tomates bien mûres, en dés
3 carottes jaunes, en dés
1 branche de céleri, en dés
15 ml (1 c. à soupe) de pâte de tomates
1 branche de thym frais
375 ml (1 ½ tasse) de bouillon de bœuf

GREMOLATA
Zestes de 2 oranges navel non traitées
Jus d'une des oranges
15 ml (1 c. à soupe) de graines de coriandre
80 ml (⅓ tasse) de persil plat, haché
30 ml (2 c. à table) d'eau de fleur d'oranger
30 ml (2 c. à soupe) d'huile d'olive

PRÉPARATION

1. Préchauffer le four à 160 °C (325 °F).
2. Saler, poivrer et fariner les morceaux de viande.
3. Dans une grande casserole à fond épais munie d'un couvercle, faire colorer, dans l'huile d'olive, les morceaux de viande. Réserver.
4. Dans la même casserole, mettre le beurre et faire suer (sans coloration) l'oignon et l'ail. Déglacer avec le vin blanc et faire réduire de moitié. Ajouter tous les ingrédients à l'exception de la viande et porter à ébullition.
5. Déposer la viande dans le liquide bouillant. Couvrir et enfourner pendant 1 h 30.
6. Rectifier l'assaisonnement et contrôler le point de cuisson. Au besoin, remettre au four.
7. **Gremolata.** Mélanger, au dernier moment, tous les ingrédients dans un bol. Assaisonner et placer sur l'osso buco avant de servir.

PISTES HARMONIQUES DES LIQUIDES

Partez sur les mêmes propositions que celles décrites dans notre version graines de coriandre et orange.

OSSO BUCO DE VEAU, GREMOLATA À L'ORANGE ET PISTILS DE LAVANDE

ASTUCE AROMATIQUE

Pour faire suite à notre version orange et graines de coriandre, celle-ci est sur la piste de la lavande, laquelle est aussi sur le même mode aromatique que l'orange.

INGRÉDIENTS

4 tranches d'osso buco (jarret de veau) de 5 cm (2 po)
Sel et poivre du moulin
30 g (2 c. à soupe) de farine blanche
45 ml (3 c. à soupe) d'huile d'olive
15 g (1 c. à soupe) de beurre salé
1 gros oignon jaune, haché
2 gousses d'ail, écrasées
250 ml (1 tasse) de vin blanc
4 tomates bien mûres, en dés
3 carottes jaunes, en dés
1 branche de céleri, en dés
15 ml (1 c. à soupe) de pâte de tomates
1 branche de thym frais
375 ml (1 ½ tasse) de bouillon de bœuf

GREMOLATA

Zestes et jus d'une orange navel non traitée
5 ml (1 c. à thé) de pistils de lavande
80 ml (⅓ tasse) de persil plat, haché
30 ml (2 c. à soupe) d'huile d'olive

PRÉPARATION

1. Préchauffer le four à 160 °C (325 °F).
2. Saler, poivrer et fariner les morceaux de viande.
3. Dans une grande casserole à fond épais munie d'un couvercle, faire colorer, dans l'huile d'olive, les morceaux de viande. Réserver.
4. Dans la même casserole, mettre le beurre et faire suer (sans coloration) l'oignon et l'ail. Déglacer avec le vin blanc et faire réduire de moitié. Ajouter tous les ingrédients à l'exception de la viande et porter à ébullition.
5. Déposer la viande dans le liquide bouillant, couvrir et enfourner pendant 1 h 30.
6. Rectifier l'assaisonnement et contrôler le point de cuisson. Au besoin remettre au four.
7. **Gremolata.** Mélanger, au dernier moment, tous les ingrédients dans un bol. Assaisonner et placer sur l'osso buco avant de servir.

Les mêmes pistes proposées à nos deux précédentes recettes d'osso buco, soit un puissant riesling australien, ou un assemblage grenache/syrah/mourvèdre (GSM).

CHOCOLAT/GRAINES DE CORIANDRE/ORANGE

 # OSSO BUCO DE VEAU, SAUCE LIÉE AU CHOCOLAT ET GREMOLATA À L'ORANGE ET GRAINES DE CORIANDRE

ASTUCE AROMATIQUE

Un petit carré de chocolat noir pour lier la sauce de l'osso buco vous transforme ce plat comme nul autre aliment ! En plus que chocolat et orange sont des inséparables.

INGRÉDIENTS

4 tranches d'osso buco (jarret de veau) de 5 cm (2 po)
Sel et poivre du moulin
30 g (2 c. à soupe) de farine blanche
45 ml (3 c. à soupe) d'huile d'olive
15 g (1 c. à soupe) de beurre salé
1 gros oignon jaune, haché
2 gousses d'ail, écrasées
250 ml (1 tasse) de vin blanc
4 tomates bien mûres, en dés
3 carottes jaunes, en dés
1 branche de céleri, en dés
15 ml (1 c. à soupe) de pâte de tomates
1 branche de thym frais
375 ml (1 ½ tasse) de bouillon de bœuf
1 carré (25 g) de chocolat noir sans sucre

GREMOLATA

Zestes de 2 oranges navel non traitées
15 ml (1 c. à soupe) de graines de coriandre
80 ml (⅓ tasse) de persil plat haché
30 ml (2 c. à soupe) d'huile d'olive

PRÉPARATION

1. Préchauffer le four à 160 °C (325 °F).
2. Saler, poivrer et fariner les morceaux de viande.

3. Dans une grande casserole à fond épais munie d'un couvercle, faire colorer, dans l'huile d'olive, les morceaux de viande. Réserver.

4. Dans la même casserole, mettre le beurre et faire suer (sans coloration) l'oignon et l'ail. Déglacer avec le vin blanc et faire réduire de moitié. Ajouter tous les ingrédients, à l'exception de la viande et du chocolat, et porter à ébullition.

5. Déposer la viande dans le liquide bouillant. Couvrir et enfourner pendant 1 h 30.

6. Rectifier l'assaisonnement et contrôler le point de cuisson. Au besoin, remettre au four.

7. Au moment de servir, retirer les morceaux de viande et porter la sauce à ébullition. Retirer du feu et ajouter le carré de chocolat noir. Fouetter pour le fondre au mélange et napper la viande dans les assiettes.

8. **Gremolata.** Mélanger, au dernier moment, tous les ingrédients dans un bol. Assaisonner et placer sur l'osso buco avant de servir.

PISTES HARMONIQUES DES LIQUIDES

Optez pour un généreux, pour ne pas dire capiteux assemblage grenache/syrah/mourvèdre (GSM), qu'il soit australien, languedocien ou rhodanien.

POUSSES DE SAPIN

POULET « CAMPING SAUVAGE HIVER-ÉTÉ » AUX POUSSES DE SAPIN

ASTUCE AROMATIQUE

Comme vous le constaterez, lors d'un spécial « camping sauvage » que nous présenterons à l'émission Papilles, à Télé-Québec, le chanteur Marc Hervieux est un homme de nature et de famille, au sens élargi. La cuisson au feu de bois, été comme hiver (!), pour de grandes tablées, c'est son dada. Il ne restait plus qu'à lui donner une piste « sauvage », celle des jeunes pousses de sapin, qui sont de la même tonalité que le romarin... D'où ce poulet hiver-été. Osez !

INGRÉDIENTS

MARINADE

125 ml (½ tasse) de jeunes pousses de sapin

60 ml (¼ tasse) d'huile d'olive

12 gousses d'ail, hachées finement

30 g (2 c. à soupe) de beurre salé

Sel de mer

2 coffres de poulet (poitrines entières sur os)

PRÉPARATION

Préparer la marinade à chaud pour libérer les saveurs de l'ail et du sapin.

1. **Marinade**. Dans une petite casserole, porter de l'eau à ébullition et blanchir rapidement les pousses de sapin. Les assécher avec du papier absorbant et laisser refroidir. Les hacher finement et réserver.

2. Dans une petite casserole, verser l'huile d'olive et laisser chauffer. Ajouter l'ail et laisser cuire sans colorer. Retirer la casserole du feu. Ajouter le sapin haché, saler et laisser infuser. Dès que l'huile est presque froide, ajouter le beurre et mélanger.

3. Lorsque l'huile aromatisée est entièrement refroidie, retirer les coffres de poulet du réfrigérateur. À l'aide d'un pinceau, les badigeonner avec la marinade. Recouvrir d'une pellicule plastique et laisser mariner au réfrigérateur pendant toute la nuit*.

4. Le lendemain, sur le site de camping, préparer un feu et attendre que la braise soit moyennement chaude.

5. Déposer chaque coffre de poulet sur un carré de papier d'aluminium, côté brillant à l'intérieur, et les refermer en papillote. Déposer les papillotes sur la grille au-dessus des braises. Cuire environ 35 minutes, selon la taille.

6. Retirer les coffres de poulet des papillotes en prenant soin de réserver le jus de cuisson dans une poêle en fonte. Déposer les coffres directement sur la grille au-dessus des braises pour bien colorer la peau.

7. Juste avant de servir, retirer les suprêmes de volaille de l'os et les déposer côté viande dans le jus de cuisson pour les réchauffer quelques minutes.

*En camping, ce mélange se fait très bien la veille, à la maison, et il est plus facile de transporter les coffres de poulets marinés dans une glacière.

PISTES HARMONIQUES DES LIQUIDES

Comme le sapin est dans le même univers aromatique que le romarin, il vous faut servir, en blanc, un vin de Riesling, ou en rouge, des crus du bassin méditerranéen, marqués par les parfums de la garrigue, comme le sont généralement ceux d'assemblage grenache, syrah et mourvèdre.

ABRICOT/LAIT DE COCO/PORTO TAWNY

RÔTI DE PORC FARCI AUX ABRICOTS

ASTUCE AROMATIQUE

Classique duo porc/abricot, jazzé avec l'ajout d'ingrédients complémentaires comme le tawny et le lait de coco. En fait, les quatre ingrédients sont de la même famille aromatique. Alors, nous nous sommes amusés à décliner la recette avec d'autres ingrédients : des pêches mélangées aux abricots, ou du scotch en remplacement du tawny.

INGRÉDIENTS

RÔTI
200 g (1 tasse) d'abricots secs
2 filets de porc
500 ml (2 tasses) de porto tawny
Sel de mer

SAUCE
1 noisette de beure
1 oignon jaune, haché
3 gousses d'ail, hachées
500 ml (2 tasses) de bouillon de volaille
1 boîte de lait de coco
Brindilles de noix de coco grillées
Sel de mer

PRÉPARATION

1. **Rôti.** La veille, déposer les abricots secs dans un bol et les couvrir d'eau. Recouvrir d'une pellicule plastique et laisser tremper à la température ambiante au moins 12 heures.

2. Égoutter les abricots secs et séparer les oreillons en deux. Réserver.

3. Tailler les filets de porc en deux dans le sens de la longueur, en gardant une attache, puis ouvrir chaque filet en deux (long rectangle).

4. Déposer les filets de porc sur le plan de travail et couvrir d'une couche d'abricots, saler et ficeler chaque filet pour former deux rôtis.

5. Déposer les deux rôtis dans un plat creux, puis verser le porto tawny. Recouvrir d'une pellicule plastique et laisser mariner au moins 4 heures au réfrigérateur, en prenant soin de les tourner après 2 heures.

6. Préchauffer le four à 160 °C (325 °F).

7. Au bout de 4 heures, retirer les rôtis de la marinade et les laisser égoutter sur une grille. Réserver la marinade qui servira à réaliser la sauce.

8. Sur la cuisinière, faire chauffer une poêle allant au four. Assaisonner les rôtis, puis les déposer dans la poêle chaude et marquer la viande de chaque côté. Enfourner et cuire entre 15 et 20 minutes, selon la taille des rôtis.

9. **Sauce.** Dans une casserole à fond épais, déposer une noisette de beurre, puis ajouter l'oignon. Laisser blondir, puis ajouter l'ail et faire suer le tout. Déglacer avec le bouillon de volaille et laisser réduire de moitié. Une fois que le tout a réduit, éteindre le feu et laisser infuser.

10. Lorsque les rôtis sont presque cuits, les retirer de la poêle et les déposer sur une assiette afin de laisser reposer la viande.

11. Faire chauffer la poêle de cuisson des rôtis et la déglacer avec le porto ayant servi à mariner les rôtis. Laisser réduire de moitié, puis ajouter le lait de coco. Laisser réduire encore jusqu'à ce que la texture de la sauce soit « nappante ». Ajouter la préparation de bouillon de volaille et laisser réduire de nouveau. Lorsque la texture sera idéale pour napper la viande, verser le tout dans le bol d'un mélangeur et mixer la sauce.

12. Au-dessus d'une poêle, filtrer la sauce dans un chinois étamine et la laisser chauffer quelques instants en remuant. Déposer les rôtis dans la sauce et les laisser réchauffer quelques minutes.

FINITION

1. Juste avant de servir, retirer les rôtis de la sauce et les déposer sur le plan de travail. Retirer les ficelles, puis trancher les rôtis.
2. Déposer les tranches sur une assiette de service, napper de sauce et parsemer de brindilles de noix de coco grillées. Déguster!

PISTES HARMONIQUES DES LIQUIDES

La famille aromatique qui lie tous les ingrédients de cette recette est celle des lactones, que l'on trouve aussi dans les vins élevés en barriques de chêne, plus particulièrement dans les vins blancs de chardonnay ou de roussanne. Ce qui est aussi le cas des rouges du Nouveau Monde à base de pinot noir ou de merlot. Les aventuriers à la dent sucrée tenteront avec succès un verre ou deux de porto tawny.

ABRICOT/PÊCHE/LAIT DE COCO/PORTO TAWNY

RÔTI DE PORC FARCI AUX ABRICOTS ET PÊCHES JAUNES

ASTUCE AROMATIQUE

Deuxième version du classique duo porc/abricot, que nous avons jazzé avec du lait de coco et du tawny (voir recette, page 136), à laquelle cette fois nous ajoutons aussi des pêches! Que des ingrédients partageant la même famille dominante de composés volatils.

INGRÉDIENTS

Mêmes ingrédients que dans la recette de rôti de porc farci aux abricots (voir recette précédente)

+

1 pêche jaune mûre

PRÉPARATION

Même préparation que dans la recette de rôti de porc farci aux abricots (voir recette précédente).
+
Éplucher les pêches, les tailler en dés, puis les ajouter aux abricots secs et mélanger (voir étape 2).

PISTES HARMONIQUES DES LIQUIDES

Exactement les mêmes propositions que dans la recette de rôti de porc farci aux abricots (voir page 136).

TOURTIÈRE CLASSIQUE À LA CANNELLE ET CLOU DE GIROFLE

ASTUCE AROMATIQUE

Voici notre version classique du tout aussi classique pâté à la viande, mieux connu sous le nom de… tourtière ! Partant de son gène de saveur dominant, donné surtout par la viande de porc, nous vous proposons aussi d'autres versions avec des ingrédients de même famille aromatique : champignons et noix de coco grillée, abricot séché et scotch, pacanes et noix de coco. Vous ne verrez plus jamais le pâté à la viande du même œil !

INGRÉDIENTS

300 g (10 ½ oz) de porc mi-maigre haché
300 g (10 ½ oz) de veau, haché
1 oignon moyen, haché
1 branche de céleri, hachée
60 cl (2 ²/₅ tasses) d'eau
2,5 ml (½ c. à thé) de cannelle moulue
1,2 ml (¼ c. à thé) de clou de girofle moulu
60 ml (¼ tasse) de chapelure de pain
1 œuf battu
2 abaisses de pâte brisée
1 jaune d'œuf

PRÉPARATION

1. Dans une casserole, mélanger les 7 premiers ingrédients et cuire pendant 20 minutes à feu moyen. Hors du feu, ajouter la chapelure et l'œuf battu.

2. Placer une abaisse dans un moule à tarte et verser la préparation de viande. Recouvrir avec l'autre abaisse et bien souder les bords. Dorer la pâte du dessus avec un jaune d'œuf délayé dans un peu d'eau et cuire au four à 180 °C (350 °F) pendant 1 heure.

PISTES HARMONIQUES DES LIQUIDES

La viande de porc, le girofle et la cannelle sont tous trois sur la piste aromatique des vins élevés en barriques de chêne, qu'ils soient blancs ou rouges. Privilégiez, en blanc, les chardonnays du Nouveau Monde ou les vins du Midi à base de roussanne. En rouge, optez pour les sangiovese toscans, les tempranillo espagnols et les grenaches du Languedoc.

TOURTIÈRE CLASSIQUE PARFUMÉE AUX ABRICOTS SÉCHÉS ET SCOTCH

ASTUCE AROMATIQUE

Abricots séchés et scotch partagent avec la viande de porc certains composés aromatiques de même famille, d'où leur grande synergie de saveurs lorsqu'ils sont cuisinés ensemble.

INGRÉDIENTS

- 250 ml (1 tasse) d'abricots secs
- 60 ml (¼ tasse) de scotch
- 300 g (10 ½ oz) de porc mi-maigre, haché
- 300 g (10 ½ oz) de veau, haché
- 1 oignon moyen, haché
- 1 branche de céleri, haché
- 600 ml (2 ²/₅ tasses) d'eau
- 2,5 ml (½ c. à thé) de cannelle moulue
- 1,2 ml (¼ c. à thé) de clou de girofle moulu
- 60 ml (¼ tasse) de chapelure de pain
- 1 œuf battu
- 2 abaisses de pâte brisée
- 1 jaune d'œuf

PRÉPARATION

1. La veille, couper les abricots secs en petits dés, et les mettre à tremper dans le scotch. Placer dans un contenant hermétique.
2. Dans une casserole, mélanger les 9 premiers ingrédients et cuire pendant 20 minutes à feu moyen.
3. Hors du feu, ajouter la chapelure. Rectifier l'assaisonnement et ajouter l'œuf.
4. Placer une abaisse dans un moule à tarte et verser la préparation de viande. Recouvrir avec l'autre abaisse, bien souder les bords. Dorer la pâte du dessus avec un jaune d'œuf délayé dans un peu d'eau et cuire au four à 180 °C (350 °F) pendant 1 heure.

PISTES HARMONIQUES DES LIQUIDES

Les trois ingrédients dominants de cette version sont sur la piste aromatique des vins élevés en barriques de chêne. Privilégiez, en blanc, les chardonnays du Nouveau Monde ou les vins du Midi à base de roussanne. Et, pour une harmonie décapante, au retour d'une journée de sport d'hiver, pourquoi pas servir un petit doigt de scotch pur malt !

TOURTIÈRE CLASSIQUE AUX CHAMPIGNONS DE PARIS ET COPEAUX DE NOIX DE COCO GRILLÉS

ASTUCE AROMATIQUE

Tout comme pour les aliments dominants de nos autres versions de pâté à la viande, champignons et noix de coco sont sur la même piste aromatique que la viande de porc.

INGRÉDIENTS

300 g (10 ½ oz) de porc mi-maigre, haché
300 g (10 ½ oz) de veau, haché
1 oignon moyen, haché
1 branche de céleri, hachée
60 cl (2 2/5 tasses) d'eau
2,5 ml (½ c. à thé) de cannelle moulue
1,2 ml (¼ c. à thé) de clou de girofle moulu
1 barquette (8 oz) de champignons de Paris
15 ml (1 c. à soupe) de beurre salé
32 ml (1/8 tasse) de chapelure de pain
32 ml (1/8 tasse) de copeaux de noix de coco, grillés et réduits en poudre
1 œuf battu
2 abaisses de pâte brisée
1 jaune d'œuf

PRÉPARATION

1. Dans une casserole, mélanger les 7 premiers ingrédients et cuire pendant 20 minutes à feu moyen.

2. Dans une poêle, faire sauter les champignons dans le beurre. Saler et poivrer.

3. Hors du feu, ajouter la chapelure, la poudre de noix de coco et les champignons sautés. Rectifier l'assaisonnement et ajouter l'œuf battu.

4. Placer une abaisse dans un moule à tarte et verser la préparation de viande. Recouvrir avec l'autre abaisse et bien souder les bords. Dorer la pâte du dessus avec un jaune d'œuf délayé dans un peu d'eau et cuire au four à 180 °C (350 °F) pendant 1 heure.

PISTES HARMONIQUES DES LIQUIDES

Comme dans notre recette classique de pâté à la viande, il faut ici suivre la piste aromatique des vins élevés en barriques de chêne, qu'ils soient blancs ou rouges. Privilégiez, en blanc, les chardonnays du Nouveau Monde ou les vins du Midi à base de roussanne. En rouge, optez pour les sangiovese toscans, le tempranillo espagnol et les grenaches du Languedoc.

TOURTIÈRE CLASSIQUE AUX PACANES ET NOIX DE COCO GRILLÉE

ASTUCE AROMATIQUE

Eh oui, même la pacane est sur la même tonalité aromatique que la noix de coco et la viande de porc. Imaginez toutes les possibilités de plats autour de ce trio porc/pacane/noix de coco...

INGRÉDIENTS

300 g (10 ½ oz) de porc mi-maigre, haché
300 g (10 ½ oz) de veau, haché
1 oignon moyen, haché
1 branche de céleri, hachée
600 ml (2 ²/₅ tasses) d'eau
2,5 ml (½ c. à thé) de cannelle moulue
1,2 ml (¼ c. à thé) de clou de girofle moulu
32 ml (¹/₈ tasse) de poudre de noix de pacane
32 ml (¹/₈ tasse) de copeaux de noix de coco, grillés et réduits en poudre
1 œuf battu
2 abaisses de pâte brisée
1 jaune d'œuf

PRÉPARATION

1. Dans une casserole, mélanger les 7 premiers ingrédients et cuire pendant 20 minutes à feu moyen.

2. Dans un petit robot culinaire, réduire les copeaux de noix de coco en poudre et mélanger à la poudre de pacanes.

3. Hors du feu, ajouter le mélange de poudre à la préparation de viande. Rectifier l'assaisonnement. Ajouter l'œuf battu.

4. Placer une abaisse dans un moule à tarte et verser la préparation de viande. Recouvrir avec l'autre abaisse et bien souder les bords. Dorer la pâte du dessus avec un jaune d'œuf délayé dans un peu d'eau. Cuire au four à 180 °C (350 °F) pendant 1 heure.

PISTES HARMONIQUES DES LIQUIDES

Suivre toutes les pistes de suggestions proposées dans les précédentes recettes de pâté à la viande.

CHILI DE «TOFUNATI»

ASTUCE AROMATIQUE

Sur la même piste aromatique que notre recette de chili de Cincinnati, publiée dans *Papilles pour tous ! Automne*, nous avons créé une version sans viande, que Stéphane, en verve ce jour-là (!), a eu l'idée de nommer à juste titre «TofuNati»)

INGRÉDIENTS

CHILI

800 g (28 oz) de tofu mi-ferme
2 gros oignons jaunes, hachés
2 branches de céleri, en dés
30 ml (2 c. à soupe) d'huile d'olive
7,5 ml (1 ½ c. à thé) de sel
5 ml (1 c. à thé) de cannelle moulue
7,5 ml (1 ½ c. à thé) de clou de girofle moulu
30 ml (2 c. à soupe) de poudre de chili
5 ml (1 c. thé) de quatre-épices
45 ml (3 c. à soupe) de pâte de tomates
1 boîte de tomates (796 ml/28 oz) en dés, égouttées
500 ml (2 tasses) de bouillon de légumes
30 ml (2 c. à soupe) de sauce Worcestershire
1 feuille de laurier
22,5 ml (1 ½ c. à soupe) de cassonade
Une grosse boîte (540 g/19 oz) de haricots rouges, égouttés et rincés

GREMOLATA*

1 bouquet de persil plat, haché grossièrement
Zeste d'une orange
22,5 ml (1 ½ c. à soupe) d'huile d'olive
Sel de mer et poivre noir du moulin

*La gremolata est un condiment typiquement italien à base de persil plat, d'ail et de zeste de citron servi avec l'osso buco. Mais comme les variantes sont infinies, nous l'avons adaptée ici pour qu'elle se marie parfaitement à notre chili.

PRÉPARATION

1. **Chili.** Préchauffer le four à 150 °C (300 °F).
2. Dans un robot culinaire, hacher le tofu pour qu'il ressemble à de la viande hachée. Réserver.
3. Dans une grande casserole à fond épais, faire revenir les oignons et le céleri dans l'huile d'olive.

4. Ajouter le tofu haché aux légumes et faire colorer. Ajouter le sel, la cannelle, le clou de girofle et le quatre-épices. Remuer et continuer la cuisson quelques minutes.

5. Ajouter la pâte de tomates. Cuire encore quelques minutes. Ajouter le reste des ingrédients, à l'exception des haricots rouges. Enfourner et faire mijoter pendant 45 minutes.

6. Ajouter les haricots rouges. Cuire pendant 15 minutes, jusqu'à ce que les haricots soient chauds.

7. **Gremolata.** Dans un bol à mélanger, déposer le persil et le zeste d'orange. Bien mélanger le tout en y versant l'huile d'olive. Ajouter du sel et du poivre, au goût.

8. Servir le chili fumant dans des bols, et parsemer de gremolata juste avant de servir.

PISTES HARMONIQUES DES LIQUIDES

Vins rouges élevés en barriques : rioja/ribera del duero/bierzo/cariñena/ petite sirah.

CAKE À LA PISTACHE ET CORIANDRE FRAÎCHE

ASTUCE AROMATIQUE

Comme la pistache est sur la même piste aromatique que la coriandre fraîche, la pomme verte, la noix d'acajou, la mangue, le mastic, la prune, la confiture de fraise, la pêche, la cannelle et la fève tonka, nous vous proposons trois versions de cake à la pistache, dont celle-ci avec de la coriandre fraîche.

INGRÉDIENTS

½ bouquet de coriandre fraîche
125 g (½ tasse) de sucre
3 œufs entiers
100 g (7/10 tasse) de fécule de maïs
70 g (3/5 tasse) de farine
10 ml (2 c. à thé) de poudre à lever
1 pincée de sel
120 g (½ tasse) de beurre, en pommade
50 g (1/5 tasse) de yogourt nature
15 ml (1 c. à soupe) de pâte de pistaches

PRÉPARATION

1. Préchauffer le four à 180 °C (350 °F).
2. Dans une casserole d'eau bouillante, faire blanchir quelques secondes la coriandre fraîche. La refroidir aussitôt dans un bain d'eau glacée, puis l'essorer. Réserver.
3. Dans un grand bol à mélanger, déposer le sucre et les œufs. Faire blanchir la préparation à l'aide d'un batteur électrique.
4. Au-dessus du bol contenant le mélange d'œufs, tamiser ensemble la fécule, la farine, la poudre à lever, le sel, tout en continuant à mélanger à basse vitesse.
5. Avec une spatule, incorporer successivement le beurre, le yogourt, la coriandre hachée, puis la pâte de pistaches. Bien mélanger.
6. Verser la pâte dans un moule à cake beurré et fariné, et enfourner. Cuire environ 45 minutes*.
7. Laisser refroidir avant de démouler et déguster à la température de la pièce.

*Pour vérifier la cuisson, insérer la pointe d'un couteau au centre du gâteau et si elle en ressort propre, le gâteau est cuit à point.

PISTES HARMONIQUES DES LIQUIDES

Coriandre fraîche et pistache sont intimement liées aux vins de cépage sauvignon blanc, plus particulièrement aux Vendanges tardives chiliennes. Mais certains crus voisins de Sauternes (Barsac, Cadillac, Loupiac et Sainte-Croix-du-Mont) font souvent la part belle au sauvignon blanc dans leur assemblage.

DESSERTS

CAKE À LA PISTACHE ET À LA CANNELLE

ASTUCE AROMATIQUE

Comme je l'explique dans la précédente recette à la coriandre fraîche, la cannelle est aussi sur la piste aromatique de la pistache.

INGRÉDIENTS

125 g (½ tasse) de sucre
3 œufs entiers
100 g (7/10 tasse) de fécule de maïs
70 g (3/5 tasse) de farine blanche
10 ml (2 c. à thé) de poudre à lever
5 ml (1 c. à thé) de cannelle moulue
1 pincée de sel
120 g (½ tasse) de beurre, en pommade
50 g (1/5 tasse) de yogourt nature
15 ml (1 c. à soupe) de pâte de pistaches

PRÉPARATION

1. Préchauffer le four à 180 °C (350 °F).
2. Dans un grand bol à mélanger, déposer le sucre et les œufs. Faire blanchir la préparation à l'aide d'un batteur électrique.
3. Au-dessus du bol contenant la première préparation, tamiser ensemble la fécule, la farine, la poudre à lever, la cannelle et le sel. Ajouter en pluie sur le mélange d'œufs, tout en continuant à mélanger.
4. À l'aide d'une spatule, incorporer le beurre et le yogourt, et en dernier la pâte de pistaches. Bien mélanger.
5. Verser le mélange dans un moule à cake beurré et fariné, et enfourner. Cuire environ 45 minutes*.
6. Laisser refroidir avant de démouler et déguster à la température de la pièce.

*Pour vérifier la cuisson, insérer la pointe d'un couteau au centre du gâteau et si elle en ressort propre, le gâteau est cuit à point.

PISTES HARMONIQUES DES LIQUIDES

Même choix que pour la précédente recette : Vendanges tardives chiliennes/Barsac/Cadillac/Loupiac/Sainte-Croix-du-Mont.

CAKE MARBRÉ PISTACHE/CACAO/ SÉSAME GRILLÉ EN MODE «RÉACTION DE MAILLARD»

ASTUCE AROMATIQUE

Fait intéressant, lorsque la pistache est rôtie, elle développe de nouvelles tonalités aromatiques de la famille de la réaction de Maillard, lui offrant de nouveaux chemins harmoniques avec le cacao, le café et le sésame grillé.

INGRÉDIENTS

- 125 g (½ tasse) de sucre
- 3 œufs entiers
- 100 g (7/10 tasse) de fécule de maïs
- 70 g (3/5 tasse) de farine blanche
- 10 ml (2 c. à thé) de poudre à lever
- 1 pincée de sel
- 120 g (½ tasse) de beurre, en pommade
- 5 ml (1 c. à thé) d'huile de sésame grillée
- 50 g (1/5 tasse) de yogourt nature
- 15 ml (1 c. à soupe) de pâte de pistaches
- 22,5 ml (1 ½ c. à soupe) de cacao en poudre non sucré

PRÉPARATION

1. Préchauffer le four à 180 °C (350 °F).
2. Dans un grand bol à mélanger, déposer le sucre et les œufs. Faire blanchir la préparation à l'aide d'un batteur électrique.
3. Au-dessus du bol contenant la première préparation, tamiser ensemble la fécule, la farine, la poudre à lever et le sel. Ajouter en pluie sur le mélange d'œufs, tout en continuant à mélanger.
4. À l'aide d'une spatule, incorporer le beurre, l'huile de sésame et le yogourt. Bien mélanger.
5. Séparer la préparation dans deux saladiers. En parfumer une avec la pâte de pistaches et l'autre avec le cacao.
6. Verser les deux mélanges dans un moule à cake beurré et fariné, un sur l'autre, et enfourner. Cuire environ 45 minutes*.
7. Laisser refroidir avant de démouler et déguster à température de la pièce.

*Pour vérifier la cuisson, insérer la pointe d'un couteau au centre du gâteau et si elle en ressort propre, le gâteau est cuit.

PISTES HARMONIQUES DES LIQUIDES

Comme nous changeons d'univers aromatique avec les pistaches rôties, le cacao et le sésame grillé, tous trois marqués par les arômes brûlés/grillés/fumés émanant de la réaction de Maillard, il faut opter pour un vin longuement élevé en barriques, comme les vieux Banyuls, Maury et Rivesaltes « hors d'âge », ainsi que les portos de type tawny de plus de 10 ans, sans oublier les madères de type bual et malmsey.

CITRON/THÉ VERT

 # CAKE AU GINGEMBRE CONFIT, THÉ VERT ET CITRON

ASTUCE AROMATIQUE

Il est possible d'y ajouter des canneberges ou des zestes de pamplemousse rose et de remplacer le thé vert par du thé Earl Grey (bergamote) pour ainsi accoucher d'une deuxième version comme nous l'avons fait à la page suivante.

INGRÉDIENTS

500 g (3 tasses) de farine blanche
15 ml (1 c. à soupe) de poudre à lever
325 g (1 ⅓ tasse) de beurre, à la température ambiante
Zestes de 5 citrons
30 ml (2 c. à soupe) de feuilles thé vert sencha, hachées
325 g (1 ⅓ tasse) de sucre
325 g (6 ou 7) d'œufs entiers
150 g (⅔ tasse) de gingembre confit, haché

PRÉPARATION

1. Préchauffer le four à 180 °C (350 °F).
2. Tamiser ensemble la farine et la poudre à lever. Réserver.
3. Dans un grand bol à mélanger, déposer le beurre, les zestes de citron, le thé vert haché et le sucre. Mélanger à l'aide d'un batteur électrique jusqu'à l'obtention d'une texture crémeuse.
4. Ajouter les œufs et la farine sans cesser de remuer, puis ajouter le gingembre confit.
5. Beurrer et fariner un moule à cake et le chemiser d'une feuille de papier parchemin. Verser la pâte dans le moule, puis enfourner. Cuire environ 40 minutes* (ou selon la taille du moule).
6. Démouler le cake et laisser refroidir sur une grille. Déguster.

*Pour vérifier la cuisson : insérer la pointe d'un couteau au centre du gâteau et si elle en ressort propre, le gâteau est cuit à point.

PISTES HARMONIQUES DES LIQUIDES

Un thé vert ? Bien sûr ! Mais aussi un vin doux naturel de muscat ou un gewurztraminer, tout comme un scheurebe autrichien et un jurançon moelleux.

CAKE AU GINGEMBRE CONFIT ET CANNEBERGES/PAMPLEMOUSSE ROSE/ THÉ EARL GREY

ASTUCE AROMATIQUE

À partir de notre autre recette de cake au gingembre confit, thé vert et citron (voir page précédente), il est possible d'y ajouter des canneberges, des zestes de pamplemousse rose, comme nous l'avons fait, ou de l'eau de rose. Et pourquoi ne pas aussi remplacer le thé vert par du thé Earl Grey (qui est aromatisé à la bergamote) !

INGRÉDIENTS

500 g (3 tasses) de farine blanche

15 ml (1 c. à soupe) de poudre à lever

325 g (1 ⅓ tasse) de beurre, à la température ambiante

Zeste d'un pamplemousse rose

30 ml (2 c. à soupe) de feuilles de thé Earl Grey, hachées

325 g (1 ½ tasse) de sucre

325 g (6 ou 7) d'œufs entiers

150 g (2/3 tasse) de gingembre confit, haché

250 ml (1 tasse) de canneberges séchées

PRÉPARATION

1. Préchauffer le four à 180 °C (350 °F).

2. Tamiser ensemble la farine et la poudre à lever. Réserver.

3. Dans un grand bol à mélanger, déposer le beurre, les zestes du pamplemousse, le thé vert haché et le sucre. Mélanger à l'aide d'un batteur électrique jusqu'à l'obtention d'une texture crémeuse.

4. Ajouter les œufs et la farine sans cesser de remuer, puis ajouter le gingembre confit et les canneberges séchées.

5. Beurrer et fariner un moule à cake et le chemiser d'une feuille de papier parchemin. Verser la pâte dans le moule, puis enfourner. Cuire pendant environ 40 minutes* (ou selon la taille du moule).

6. Démouler le cake et laisser refroidir sur une grille. Déguster.

*Pour vérifier la cuisson : insérer la pointe d'un couteau au centre du gâteau et si elle en ressort propre, le gâteau est cuit à point.

PISTES HARMONIQUES DES LIQUIDES

Vin doux naturel de muscat ou gewurztraminer sont de mise, mais aussi un scheurebe autrichien, tout comme un jurançon moelleux. Sans oublier l'heure du thé à l'anglaise avec ce cake et un Earl Grey.

CAKE «FULL LACTONES» À LA NOIX DE COCO GRILLÉE ET AU YOGOURT

ASTUCE AROMATIQUE

Sur la piste de la noix de coco, il y a la pacane et l'abricot séché, que nous avons décidé d'ajouter à ce cake, question de créer une imposante synergie «full lactones» – les lactones sont les composés aromatiques que partagent ces trois ingrédients.

INGRÉDIENTS

160 g (1 ⅓ tasse) de farine blanche

100 g (²/₅ tasse) de sucre

30 ml (2 c. à soupe) de poudre à lever

100 g (²/₅ tasse) de copeaux de noix de coco grillée réduits en poudre

60 ml (¼ tasse) de pacanes moulues

2 œufs entiers

75 g (⅓ tasse) de beurre, fondu

100 g (²/₅ tasse) de yogourt à la vanille

60 ml (¼ tasse) d'abricots séchés hachés

PRÉPARATION

1. Préchauffer le four à 180 °C (350°F).
2. Au-dessus d'un bol à mélanger, tamiser ensemble la farine, le sucre et la poudre à lever.
3. Ajouter la poudre de noix de coco grillée et la poudre de pacanes, puis mélanger à l'aide d'un fouet.
4. Dans un deuxième bol à mélanger, déposer les œufs, le beurre fondu et le yogourt à la vanille, et mélanger le tout.
5. Ajouter le mélange de yogourt à celui des ingrédients secs et mélanger le tout jusqu'à l'obtention d'une pâte homogène et lisse.
6. Ajouter les abricots séchés hachés et mélanger de nouveau.
7. Verser la pâte dans un moule à cake beurré et enfariné, puis enfourner. Cuire pendant 40 minutes*, jusqu'à ce que le cake soit doré.

*Pour vérifier la cuisson: insérer la pointe d'un couteau au centre du gâteau et si elle en ressort propre, le gâteau est cuit à point.

PISTES HARMONIQUES DES LIQUIDES

Pour résonner avec la synergie «full lactones» que crée le trio noix de coco/ abricot séché/pacane – les lactones sont les composés aromatiques que partagent ces trois ingrédients –, optez pour des vins moelleux liquoreux, élevés en barriques, donc tout aussi «full lactones» – le chêne exprimant aussi des arômes de la famille des lactones. Les bières de type scotch ale abondent aussi dans le même sens.

CRÈME BRÛLÉE CHANEL Nº 5

ASTUCE AROMATIQUE

Je m'inspire des parfums depuis de nombreuses années déjà, tant pour la compréhension de l'univers complexe des arômes que pour l'inspiration qu'ils m'apportent en cuisine. Comme le célèbre parfum Chanel Nº 5 célébrait en 2011 ses 90 ans de création, il fallait un hommage à Coco. Étant l'un des plus grands parfums créés à ce jour – les experts s'entendent tous sur son statut d'icône –, nous avons donc décidé de suivre la piste aromatique de ce parfum afin d'en extraire les composantes dominantes, pour créer quelques plats, dont cette crème brûlée Chanel Nº 5.

INGRÉDIENTS

1 gousse de vanille, graines raclées

250 ml (1 tasse) de lait 3,25 %

500 ml (2 tasses) de crème 35 %

Écorce d'un demi-citron

8 jaunes d'œufs

66 g (⅓ tasse) de sucre blanc

60 ml (¼ tasse) de gin à la racine d'iris

15 ml (1 c. à soupe) d'eau de fleur d'oranger

60 ml (4 c. à soupe) de violettes cristallisées, concassées

PRÉPARATION

1. Préchauffer le four à 300 °F (150 °C)

2. Dans une casserole à fond épais, munie d'un couvercle, verser le lait et la crème, puis porter à ébullition. Retirer la casserole du feu. Ajouter la gousse vidée, les graines de vanille et les écorces de citron. Couvrir et laisser infuser pendant 5 minutes.

3. Dans un bol à mélanger, mettre les jaunes d'œufs et le sucre, et faire blanchir en mélangeant vigoureusement avec un fouet. Lorsque les œufs sont mousseux, verser le lait bouillant dans un chinois étamine au-dessus du mélange d'œufs en mélangeant à l'aide d'un fouet. Laisser reposer la préparation jusqu'à ce que les petites bulles se soient dissoutes. Ajouter le gin et l'eau de fleur d'oranger, mélanger.

4. Déposer des ramequins d'environ 10 cm (4 po) de diamètre dans un plat allant au four. Verser la crème dans les ramequins et mettre de l'eau très chaude jusqu'aux trois quarts des ramequins pour créer un bain-marie. Enfourner et laisser cuire environ 30 minutes*, selon la taille des ramequins.

5. Retirer les ramequins du four et réfrigérer au moins 2 heures pour que la préparation soit bien prise.

6. Au moment de servir, saupoudrer les violettes cristallisées. Vous n'aurez pas besoin de caraméliser au chalumeau pour garder les parfums subtils de cette recette.

*La crème est cuite lorsqu'elle est ferme au toucher.

PISTES HARMONIQUES DES LIQUIDES

Les parfums de fleur d'oranger, de rose, d'écorce de citron et de violette sont ceux des vins de cépage muscat. Mais comme il y a aussi, en note de fond, la pénétrante vanille, il faut opter pour un muscat de soleil passablement mûr et évolué, comme le sont ceux du Portugal (Moscatel de Setubal) et certains d'Italie (Passito di Pantelleria). Pratiquement du Chanel N° 5 à boire !

VANILLE

CRÈME CARAMEL À LA VANILLE

ASTUCE AROMATIQUE

Comme nous vous le proposons avec nos six versions autour de la cannelle, la piste aromatique de la vanille nous a inspiré neuf recettes avec des aliments et des liquides complémentaires à la chaude et sensuelle vanille. Pourquoi ? Tout simplement parce que la cannelle et la vanille sont sur le même mode aromatique que le caramel.

INGRÉDIENTS

CARAMEL
200 g (⁴/₅ tasse) de sucre
50 ml (¹/₅ tasse) d'eau
1 litre (4 tasses) de lait 3,25 %
60 ml (¼ tasse) de crème 35 %
1 gousse de vanille, graines raclées
8 œufs
200 g (⁴/₅ tasse) de sucre

PRÉPARATION

1. Préchauffer le four à 160 °C (325 °F).
2. **Caramel.** Dans une casserole à fond épais, verser le sucre et l'eau, et porter à ébullition.
3. Une fois que le caramel est prêt, le verser dans un plat en pyrex allant au four, et le laisser refroidir.
4. Dans une autre casserole, verser le lait, la crème et la gousse de vanille vidée, et porter à ébullition.
5. Dans un saladier, blanchir les œufs, le sucre et les graines de vanille.
6. Retirer la gousse de vanille. Verser le lait chaud sur la préparation d'œufs en mélangeant, puis verser dans le plat en pyrex.
7. Mettre un bain-marie d'eau chaude dans le four et y déposer le plat en pyrex.
8. Cuire environ 45 minutes. Vérifier la cuisson en y insérant la lame d'un couteau, si rien n'y adhère, la crème est cuite.
9. Laisser refroidir sur le comptoir et placer au frigo.
10. Déguster froid.

PISTES HARMONIQUES DES LIQUIDES

Ici, le choix harmonique est vaste, car la vanille, tout comme le brûlé/caramélisé de cette crème trouvent écho dans de nombreux types de liquides, allant du vin blanc liquoreux à la bière brune extraforte, en passant par le thé Wulong et le café de cru. En premier lieu, l'accord classique, et on ne peut plus juste, est celui avec le sauternes, tout comme avec tous les vins proches parents de ce dernier. Puis, le porto tawny, le madère bual et le reciotto italien s'ajoutent à la liste, pour ne nommer que ceux-là.

FÈVE TONKA/VANILLE

CRÈME CARAMEL À LA VANILLE ET FÈVE TONKA

ASTUCE AROMATIQUE

Nombreux aliments partagent le profil aromatique de la vanille, mais la fève tonka est l'ingrédient qui s'en rapproche le plus.

INGRÉDIENTS

CARAMEL

200 g (⁴/₅ tasse) de sucre
50 ml (¹/₅ tasse) d'eau
1 litre (4 tasses) de lait 3,25 %
60 ml (¼ tasse) de crème 35 %
2,5 ml (½ c. à thé) de fève tonka râpée
1 gousse de vanille, graines raclées
8 œufs
200 g (⁴/₅ tasse) de sucre

PRÉPARATION

1. Préchauffer le four à 160 °C (325 °F).
2. **Caramel.** Dans une casserole à fond épais, verser le sucre et l'eau, et porter à ébullition.
3. Une fois que le caramel est prêt, le verser dans un plat en pyrex allant au four, et le laisser refroidir.
4. Dans une autre casserole, verser le lait, la crème, la fève tonka et la gousse de vanille vidée, et porter à ébullition.
5. Dans un saladier, blanchir les œufs, le sucre et les graines de vanille.
6. Filtrer le lait chaud sur la préparation d'œufs en mélangeant, puis verser dans le plat en pyrex.
7. Mettre un bain-marie d'eau chaude dans le four et y déposer le plat en pyrex.
8. Cuire environ 45 minutes. Vérifier la cuisson en y insérant la lame d'un couteau, si rien n'y adhère, la crème est cuite.
9. Laisser refroidir sur le comptoir et placer au frigo.
10. Déguster froid.

Voir les choix harmoniques proposés pour la crème caramel à la vanille (voir page 152).

VODKA ZUBROWKA/VANILLE

CRÈME CARAMEL À LA VANILLE ET VODKA ZUBROWSKA

ASTUCE AROMATIQUE

La vodka polonaise Zubrowka est parfumée à l'herbe de bison, et cette dernière transpire les mêmes composés volatils que la fève tonka qui, elle, donne écho au profil de la vanille...

INGRÉDIENTS

CARAMEL
200 g (⁴/₅ tasse) de sucre
50 ml (¹/₅ tasse) d'eau
1 litre (4 tasses) de lait 3,25 %
60 ml (¼ tasse) de crème 35 %
1 gousse de vanille, graines raclées
8 œufs
200 g (⁴/₅ tasse) de sucre
15 ml (1 c. à soupe) de vodka Zubrowska

PRÉPARATION

1. Préchauffer le four à 160 °C (325 °F).
2. **Caramel.** Dans une casserole à fond épais, verser le sucre et l'eau, et porte à ébullition.
3. Une fois que le caramel est prêt, le verser dans un plat en pyrex allant au four, et laisser refroidir le caramel.
4. Dans une autre casserole, verser le lait, la crème et la gousse de vanille vidée, et porter à ébullition.
5. Dans un saladier, blanchir les œufs, le sucre et les graines de vanille, et ajouter la vodka.
6. Retirer la gousse de vanille. Verser le lait chaud sur la préparation d'œufs en mélangeant, puis verser dans le plat en pyrex.
7. Mettre un bain-marie d'eau chaude dans le four et y déposer le plat en pyrex.
8. Cuire environ 45 minutes. Vérifier la cuisson en y insérant la lame d'un couteau, si rien n'y adhère, la crème est cuite.
9. Laisser refroidir sur le comptoir et placer au frigo.
10. Déguster froid.

ASTUCE AROMATIQUE

La vodka Zubrowka s'ajoute bien sûr aux choix harmoniques proposés pour la crème caramel à la vanille (voir page 152).

CRÈME CARAMEL À LA VANILLE ET CLOU DE GIROFLE

ASTUCE AROMATIQUE

Il faut savoir que le clou de girofle est l'un des ingrédients, avec la betterave et le curcuma, sélectionné pour synthétiser la vanilline. Qui dit vanilline, dit vanille, donc clou de girofle aussi! Le résultat est une vibrante synergie aromatique lorsque la vanille rencontre le girofle dans une recette sucrée.

INGRÉDIENTS

CARAMEL

200 g (⁴/₅ tasse) de sucre
50 ml (¹/₅ tasse) d'eau
1 litre (4 tasses) de lait 3,25 %
60 ml (¼ tasse) de crème 35 %
1 gousse de vanille, graines raclées
3 clous de girofle entiers
8 œufs
200 g (⁴/₅ tasse) de sucre

PRÉPARATION

1. Préchauffer le four à 160 °C (325 °F).
2. **Caramel.** Dans une casserole à fond épais, verser le sucre et l'eau, et porter à ébullition.
3. Une fois que le caramel est prêt, le verser dans un plat en pyrex allant au four, et le laisser refroidir le caramel.
4. Dans une autre casserole, verser le lait, la crème, les clous de girofle et la gousse de vanille vidée, et porter à ébullition. Laisser infuser quelques minutes.
5. Dans un saladier, blanchir les œufs, le sucre et les graines de vanille.
6. Filtrer le lait chaud sur la préparation d'œufs en mélangeant, puis verser dans le plat en pyrex.
7. Mettre un bain-marie d'eau chaude dans le four et y déposer le plat en pyrex.
8. Cuire environ 45 minutes. Vérifier la cuisson en insérant la lame d'un couteau, si rien n'y adhère, la crème est cuite.
9. Laisser refroidir sur le comptoir et placer au frigo.
10. Déguster froid.

ASTUCE AROMATIQUE

Sélectionnez les vins ayant séjourné le plus longuement en fûts parmi les choix harmoniques proposés pour la crème caramel à la vanille (voir page 152), comme les jeunes sauternes et les portos de type tawny de 20 ans d'âge et plus.

CACAO/VANILLE

 # CRÈME CARAMEL À LA VANILLE ET CACAO

ASTUCE AROMATIQUE

De la vanille au cacao, en passant par la fève tonka, la vodka Zubrowka et le clou de girofle, il n'y a qu'un pas que je franchis allègrement ! C'est que tous sont liés par des composés aromatiques de même famille, créant une ludique synergie lorsque cuisinés ensemble.

INGRÉDIENTS

CARAMEL

200 g (⁴/₅ tasse) de sucre
50 ml (¹/₅ tasse) d'eau
1 litre (4 tasses) de lait 3,25 %
60 ml (¼ tasse) de crème 35 %
1 gousse de vanille, graines raclées
8 œufs
200 g (⁴/₅ tasse) de sucre
10 ml (2 c. à thé) de cacao en poudre

PRÉPARATION

1. Préchauffer le four à 160 °C (325 °F).
2. **Caramel.** Dans une casserole à fond épais, verser le sucre et l'eau, et porter à ébullition.
3. Une fois que le caramel est prêt, le verser dans un plat en pyrex allant au four, et le laisser refroidir.
4. Dans une autre casserole, verser le lait, la crème et la gousse de vanille vidée, et porter à ébullition.
5. Dans un saladier, blanchir les œufs, le sucre, les graines de vanille et le cacao.
6. Retirer la gousse de vanille. Verser le lait chaud sur la préparation d'œufs en mélangeant, puis mettre dans le plat en pyrex.
7. Mettre un bain-marie d'eau chaude dans le four et y déposer le plat en pyrex.
8. Cuire environ 45 minutes. Vérifier la cuisson en y insérant la lame d'un couteau, si rien n'y adhère, la crème est cuite. Laisser refroidir sur le comptoir et placer au frigo.
9. Déguster froid.

PISTES HARMONIQUES DES LIQUIDES

Parmi les choix harmoniques proposés dans la crème caramel à la vanille (voir page 152), privilégiez surtout le thé Wulong et le café de cru, ainsi que les vieux sauternes, tout comme les madères de type bual et malmsay, sans oublier les bières noires.

CRÈME CARAMEL À LA VANILLE ET MADÈRE

ASTUCE AROMATIQUE

Avec ses arômes brûlés, caramélisés et torréfiés, le madère est pratiquement le jumeau de la crème caramel !

INGRÉDIENTS

CARAMEL

200 g (⁴/₅ tasse) de sucre

50 ml (¹/₅ tasse) d'eau

1 litre (4 tasses) de lait 3,25 %

60 ml (¼ tasse) de crème 35 %

1 gousse de vanille, graines raclées

8 œufs

200 g (⁴/₅ tasse) de sucre

30 ml (2 c. à soupe) de madère (idéalement de type bual ou malmsey)

PRÉPARATION

1. Préchauffer le four à 160 °C (325 °F).
2. **Caramel.** Dans une casserole à fond épais, verser le sucre et l'eau, et porter à ébullition.
3. Une fois que le caramel est prêt, le verser dans un plat en pyrex allant au four, et le laisser refroidir.
4. Dans une autre casserole, verser le lait, la crème et la gousse de vanille vidée, et porter à ébullition.
5. Dans un saladier, blanchir les œufs, le sucre et les graines de vanille, et ajouter le madère.
6. Retirer la gousse de vanille. Verser le lait chaud sur la préparation d'œufs en mélangeant, puis verser dans le plat en pyrex.
7. Mettre un bain-marie d'eau chaude dans le four et y déposer le plat en pyrex.
8. Cuire environ 45 minutes. Vérifier la cuisson en y insérant la lame d'un couteau, si rien n'y adhère, la crème est cuite.
9. Laisser refroidir sur le comptoir et placer au frigo.
10. Déguster froid.

PISTES HARMONIQUES DES LIQUIDES

Du madère dans vos verres, mais aussi les autres choix harmoniques proposés pour la crème caramel à la vanille (voir page 152).

XÉRÈS OLOROSO/VANILLE

CRÈME CARAMEL À LA VANILLE ET OLOROSO

ASTUCE AROMATIQUE

Les parfums grillés et torréfiés des xérès de type oloroso, tout comme des vins d'appellation Montilla-Moriles, trouvent écho dans les notes caramélisées de cette crème.

INGRÉDIENTS

CARAMEL

200 g (⁴/₅ tasse) de sucre

50 ml (¹/₅ tasse) d'eau

1 litre (4 tasses) de lait 3,25 %

60 ml (¼ tasse) de crème 35 %

1 gousse de vanille, graines raclées

8 œufs

200 g (⁴/₅ tasse) de sucre

45 ml (3 c. à soupe) d'oloroso

PRÉPARATION

1. Préchauffer le four à 160 °C (325 °F).

2. **Caramel.** Dans une casserole à fond épais, verser le sucre et l'eau, et porter à ébullition.

3. Une fois que le caramel est prêt, le verser dans un plat en pyrex allant au four, et le laisser refroidir.

4. Dans une autre casserole, mettre le lait, la crème et la gousse de vanille vidée, et porter à ébullition.

5. Dans un saladier, blanchir les œufs, le sucre et les graines de vanille, et ajouter l'oloroso.

6. Retirer la gousse de vanille. Verser le lait chaud sur la préparation d'œufs en mélangeant, puis verser dans le plat en pyrex.

7. Mettre un bain-marie d'eau chaude dans le four et y déposer le plat en pyrex.

8. Cuire environ 45 minutes. Vérifier la cuisson en y insérant la lame d'un couteau, si rien n'y adhère, la crème est cuite.

9. Laisser refroidir sur le comptoir et placer au frigo.

10. Déguster froid.

Tous les choix harmoniques proposés pour la crème caramel à la vanille (voir page 152), mais en premier lieu un oloroso de votre choix.

THÉ NOIR FUMÉ/VANILLE

CRÈME CARAMEL À LA VANILLE ET THÉ NOIR FUMÉ

ASTUCE AROMATIQUE

Prenez le temps de bien sentir une gousse de vanille fraîche, vous y dénicherez des notes fumées prédominantes, comme dans le thé noir fumé Lapsang Souchong.

INGRÉDIENTS

CARAMEL

200 g (⁴/₅ tasse) de sucre

50 ml (¹/₅ tasse) d'eau

1 litre (4 tasses) de lait 3,25 %

60 ml (¼ tasse) de crème 35 %

2,5 ml (½ c. à thé) de thé noir fumé Lapsang Souchong ou Zheng ShanXiao Zhong

1 gousse de vanille, graines raclées

8 œufs

200 g (⁴/₅ tasse) de sucre

PRÉPARATION

1. Préchauffer le four à 160 °C (325 °F).
2. **Caramel.** Dans une casserole à fond épais, verser le sucre et l'eau, et porter à ébullition.
3. Une fois que le caramel est prêt, le verser dans un plat en pyrex allant au four, et le laisser refroidir.
4. Dans une autre casserole, verser le lait, la crème, le thé fumé et la gousse de vanille vidée, et porter à ébullition. Laisser infuser quelques minutes.
5. Dans un saladier, blanchir les œufs, le sucre et les graines de vanille.
6. Filtrer le lait chaud sur la préparation d'œufs en mélangeant, puis verser dans le plat en pyrex.
7. Mettre un bain-marie d'eau chaude dans le four et y déposer le plat en pyrex.
8. Cuire environ 45 minutes. Vérifier la cuisson en y insérant la lame d'un couteau, si rien n'y adhère, la crème est cuite.
9. Laisser refroidir sur le comptoir et placer au frigo.
10. Déguster froid.

PISTES HARMONIQUES DES LIQUIDES

Un pénétrant thé noir fumé Lapsang Souchong, ou un plus subtil Zheng Shan Xiao Zhon, tout comme les autres choix harmoniques de vins et bières proposés pour la crème caramel à la vanille (voir page 152).

SCOTCH/VANILLE

CRÈME CARAMEL À LA VANILLE ET SCOTCH

ASTUCE AROMATIQUE

Comme je vous le recommande dans la précédente recette au thé noir fumé, prenez le temps de bien sentir une gousse de vanille fraîche. Vous y dénicherez des notes fumées prédominantes, comme dans le thé noir fumé et dans le scotch pur malt.

INGRÉDIENTS

CARAMEL
200 g (⁴/₅ tasse) de sucre
50 ml (¹/₅ tasse) d'eau
1 litre (4 tasses) de lait 3,25 %
60 ml (¼ tasse) de crème 35 %
1 gousse de vanille, graines grattées
8 œufs
200 g (⁴/₅ tasse) de sucre
15 ml (1 c. à soupe) de scotch

PRÉPARATION

1. Préchauffer le four à 160 °C (325 °F).
2. **Caramel.** Dans une casserole à fond épais, verser le sucre et l'eau, et porter à ébullition.
3. Une fois que le caramel est prêt, le verser dans un plat en pyrex allant au four, et le laisser refroidir.
4. Dans une autre casserole, verser le lait, la crème et la gousse de vanille vidée, et porter à ébullition.
5. Dans un saladier, blanchir les œufs, le sucre et les graines de vanille, et ajouter le scotch.
6. Retirer la gousse de vanille. Verser le lait chaud sur la préparation d'œufs en mélangeant, puis verser dans le plat en pyrex.
7. Mettre un bain-marie d'eau chaude dans le four et y déposer le plat en pyrex.
8. Cuire environ 45 minutes. Vérifier la cuisson en y insérant la lame d'un couteau, si rien n'y adhère, la crème est cuite.
9. Laisser refroidir sur le comptoir et placer au frigo.
10. Déguster froid.

PISTES HARMONIQUES DES LIQUIDES

Pour une décapante harmonie, un scotch pur malt ! Sinon, un pénétrant thé noir fumé Lapsang Souchong, ou un plus subtil Zheng Shan Xiao Zhong, tout comme les autres choix harmoniques de vins et bières proposés pour la crème caramel à la vanille (voir page 152).

SCOTCH/LAIT DE COCO/CASSONADE

CRÈME PÂTISSIÈRE AU LAIT DE COCO ET SCOTCH

ASTUCE AROMATIQUE

Du sur-mesure pour entrer en synergie aromatique avec nos desserts d'abricot, de pêche ou de pacane ! Pourquoi au juste ? Parce que ce sont tous des aliments de même famille aromatique que le lait de coco et le scotch.

INGRÉDIENTS

300 ml (1 ⅕ tasse) de lait 3,25 %
250 ml (1 tasse) de lait de coco
4 jaunes d'œufs
60 g (¼ tasse) de cassonade
40 g (2 ½ c. à soupe) de farine blanche
22,5 ml (1 ½ c. à soupe) de scotch

PRÉPARATION

1. Dans une casserole à fond épais, verser le lait et le lait de coco. Porter à ébullition.

2. Dans un bol à mélanger, faire blanchir les jaunes d'œufs et la cassonade en brassant vigoureusement à l'aide d'un fouet. Toujours en fouettant, ajouter la farine, petit à petit, et verser le scotch.

3. Incorporer les laits bouillants, petit à petit, en continuant de fouetter.

4. Transvaser dans la casserole et chauffer à feu doux en fouettant constamment pour empêcher la préparation de coller au fond. Laisser épaissir quelques minutes. Retirer du feu.

5. Verser la crème pâtissière dans un contenant hermétique. Déposer une pellicule plastique directement sur la crème, pour empêcher la formation d'une petite peau sur le dessus. Fermer et réserver au réfrigérateur.

PISTES HARMONIQUES DES LIQUIDES

Les vins blancs liquoreux élevés en barriques, qu'ils soient sauternes ou tokaji aszú, ainsi que les portos de type tawny et les madères de type bual et malmsey. De façon plus iconoclaste, un rhum brun âgé, un bourbon ou un scotch pur malt.

CROUSTADE AUX FIGUES SÉCHÉES

ASTUCE AROMATIQUE

Nous avons ajouté à cette croustade du miel de lavande pour demeurer sur la piste florale du « linalol », qui est l'un des composés volatils dominants qui donnent son arôme à la figue séchée. La rencontre figue et lavande vibre comme pas une !

INGRÉDIENTS

CRUMBLE
100 g (⁷/₈ tasse) de farine blanche
120 g (½ tasse) de beurre froid, en cubes
100 g (½ tasse) de cassonade
250 ml (1 tasse) de flocons d'avoine
60 ml (¼ tasse) de miel de lavande

FIGUES AU MIEL DE LAVANDE
1 litre (4 tasses) d'eau
500 g (1 lb) de figues séchées, équeutées
5 ml (1 c. à thé) de thé Earl Grey en feuilles
200 g (³/₅ tasse) de marmelade d'orange
150 g (²/₅ tasse) de miel de lavande

PRÉPARATION

1. **Crumble.** Dans le bol d'un robot culinaire, déposer la farine, les cubes de beurre, la cassonade, les flocons d'avoine et le miel de lavande. Pulser pour obtenir la consistance d'un sable à gros grains.

2. **Figues au miel de lavande.** Dans une casserole, porter à ébullition 1 litre d'eau. Retirer du feu et ajouter le thé Earl Grey et les figues. Laisser infuser pendant 30 minutes.

3. Retirer les figues de l'eau, les tailler en quartiers. Réserver 60 ml (¼ tasse) de cette infusion.

4. Dans une casserole, verser l'infusion réservée, ajouter la marmelade, le miel et ajouter les figues. Cuire à feu doux pendant 45 minutes, jusqu'à ce que la préparation épaississe. Réserver.

5. Préchauffer le four à 190 °C (375 °F).

6. Dans un plat en pyrex, déposer une couche de crumble et tasser avec les doigts pour former une fine couche uniforme. Déposer les figues confites, puis parsemer le dessus avec le crumble restant. Enfourner et cuire environ 35 minutes.

7. Laisser tiédir la croustade avant de la servir.

PISTES HARMONIQUES DES LIQUIDES

En suivant la piste de la lavande, il vous faut ici un vin doux naturel à base de muscat, qu'il soit français, espagnol ou grec. Étonnamment, vous pouvez aussi servir un vin sec, de xérès, plus particulièrement le très sec fino – vos amis de dégustation grimaceront avant de goûter, mais seront béats après avoir expérimenté la chose !

CANNELLE/CHOCOLAT/THÉ NOIR FUMÉ/VANILLE

CUPCAKES AU CHOCOLAT, GLAÇAGE AUX ÉPICES

ASTUCE AROMATIQUE

Grande synergie aromatique entre cannelle, chocolat, thé noir fumé et vanille, qui sont tous sur la même tonalité. Vous pourriez aussi y ajouter du clou de girofle, tout comme les servir avec un glaçage au caramel et girofle (voir recette du caramel au girofle sur www.papillesetmolecules.com).

INGRÉDIENTS

GÂTEAU

2,5 ml (½ c. à thé) de thé noir fumé Lapsang Souchong
2 œufs
90 g (½ tasse) de cassonade
20 g (2 c. à soupe) de farine blanche
50 g (¼ tasse) de poudre de cacao
5 ml (1 c. à thé) de poudre à lever
5 ml (1 c. à thé) de cannelle en poudre
45 ml (3 c. à soupe) de yogourt à la vanille
60 g (¼ tasse) de beurre, en pommade

GLAÇAGE

300 g (1 ½ tasse) de beurre, à la température ambiante
524 g (3 ½ tasses) de sucre à glacer
30 ml (2 c. à table) d'essence de vanille
5 ml (1 c. à thé) de cannelle moulue

PRÉPARATION

1. **Gâteau**. Préchauffer le four 180 °C (350 °F)

2. Dans un mortier, déposer le thé et réduire en poudre à l'aide d'un pilon ou passer au moulin à café. Réserver.

3. Dans un grand bol à mélanger, déposer les œufs et la cassonade. Faire blanchir la préparation à l'aide d'un batteur électrique.

4. Au-dessus du bol contenant la première préparation, tamiser ensemble la farine, le cacao, la poudre à lever et la cannelle, et battre à basse vitesse.

5. À l'aide d'une spatule, incorporer le yogourt, le beurre en pommade et le thé moulu. Bien mélanger.

6. Verser la préparation dans un moule à gâteau rectangulaire préalablement graissé et enfourner. Cuire environ 35 minutes*.

7. **Glaçage.** Mettre le beurre dans un saladier, ajouter le tiers du sucre à glacer et fouetter au batteur électrique pour obtenir une préparation lisse.

8. Ajouter l'essence de vanille, puis le reste du sucre en fouettant de nouveau.

9. Ajouter la cannelle au dernier moment.

10. Glacer les *cupcakes*.

*Pour vérifier la cuisson, insérer la pointe d'un couteau au centre du gâteau et si elle en ressort propre, le gâteau est cuit à point.

PISTES HARMONIQUES DES LIQUIDES

Du sur-mesure pour un xérès oloroso, ainsi que pour une bière noire porter fumée. Mais la zone de confort harmonique est large ici, vous pouvez aussi servir un porto tawny, tout comme un vieux vin doux naturel non muscaté de Banyuls, de Maury ou de Rivesaltes.

CINQ-ÉPICES/VANILLE

FONDUE AU CHOCOLAT

ASTUCE AROMATIQUE

Sur la piste aromatique du chocolat noir, il y a les épices et la vanille, qui partagent le même profil aromatique que le cacao. Nous les avons utilisées dans cette version, disons presque traditionnelle. Sur cette route, il y a aussi le café, le caramel, les noix et le thé fumé. Tous des ingrédients mis à profit dans les versions subséquentes.

INGRÉDIENTS

125 ml (½ tasse) de lait 3,25 %
125 ml (½ tasse) de crème 35 %
½ gousse de vanille, graines raclées
2,5 ml (½ c. à thé) de cinq-épices
2,5 ml (½ c. à thé) de cannelle moulue
280 g (10 oz) de chocolat noir à 60 %, concassé

PRÉPARATION

1. Dans une casserole à fond épais, mettre le lait et la crème à bouillir.

2. Hors du feu, ajouter la demi-gousse de vanille avec ses graines et les épices. Laisser infuser pendant quelques minutes et filtrer pour ne récupérer que le liquide.

3. Remettre le liquide dans une casserole et réchauffer. Hors du feu, ajouter le chocolat en une seule fois. Remuer à l'aide d'une maryse pour rendre la texture lisse. Homogénéiser au fouet.

4. Transférer la fondue au chocolat dans votre caquelon et faire chauffer à feu doux.

PISTES HARMONIQUES DES LIQUIDES

Chocolat noir, épices et vanille sont la piste des vins doux naturels longuement élevés en fûts, comme c'est le cas des vieux banyuls, maury et rivesaltes du Roussillon, tout comme des portos de type tawny. Par contre, si vous accompagnez cette fondue surtout de fruits rouges et noirs, alors optez pour des verrions plus jeunes, de type vintage, late bottle vintage et ruby.

THÉ NOIR FUMÉ

FONDUE AU CHOCOLAT ET THÉ NOIR FUMÉ

ASTUCE AROMATIQUE

Le thé noir fumé, qui entre en synergie aromatique avec le chocolat noir, donne un caractère plus musclé à la fondue choco. Il faut dire qu'il est difficile d'être plus osmotique que le duo cacao/thé noir fumé.

INGRÉDIENTS

125 ml (½ tasse) de lait 3,25 %
125 ml (½ tasse) de crème 35 %
½ gousse de vanille, graines raclées
2,5 ml (½ c. à thé) de thé Lapsang Souchong réduit en poudre
280 g (10 oz) de chocolat noir à 60 %, concassé

PRÉPARATION

1. Dans une casserole à fond épais, mettre le lait et la crème à bouillir.

2. Hors du feu, ajouter la demi-gousse de vanille et ses graines et la poudre de thé noir fumé. Laisser infuser pendant quelques minutes et filtrer pour ne récupérer que le liquide.

3. Remettre le liquide dans une casserole et réchauffer. Hors du feu, ajouter le chocolat en une seule fois. Remuer à l'aide d'une maryse pour rendre la texture lisse. Homogénéiser au fouet.

4. Transférer la fondue au chocolat dans votre caquelon et faire chauffer à feu doux.

PISTES HARMONIQUES DES LIQUIDES

La puissance aromatique de l'union cacao/thé noir fumé requiert des vins tout aussi pénétrants, comme le sont les xérès et montila-morilles, tous deux de type oloroso. Sinon, un thé noir fumé Lapsang Souchong serait tout aussi décapant ! Enfin, notre recette de coco cognac cocktail (voir dans *Papilles pour tous !* *Automne*) revisitée avec du thé fumé est aussi un choix sur mesure.

CAFÉ/CANNELLE/VANILLE

FONDUE AU CHOCOLAT ET CAFÉ

ASTUCE AROMATIQUE

Tout comme le thé noir fumé de notre autre version de fondue choco, le café fait partie des principaux ingrédients complémentaires au chocolat noir, ce qui est le cas de la vanille et de la cannelle aussi présentes dans cette recette, entrant tous intensément en synergie aromatique avec le cacao.

INGRÉDIENTS

125 ml (½ tasse) de lait 3,25 %
125 ml (½ tasse) de crème 35 %
½ gousse de vanille, graines raclées
2,5 ml (½ c. à thé) de cannelle moulue
5 ml (1 c. à thé) de café soluble
280 g (10 oz) de chocolat noir à 60 %, concassé

PRÉPARATION

1. Dans une casserole à fond épais, mettre le lait et la crème à bouillir.
2. Hors du feu, ajouter la demi-gousse de vanille avec ses graines, la cannelle et le café. Laisser infuser pendant quelques minutes, fouetter et filtrer pour ne récupérer que le liquide.
3. Remettre le liquide dans une casserole et faire réchauffer. Hors du feu, ajouter le chocolat concassé en une seule fois. Remuer à l'aide d'une maryse pour rendre la texture lisse. Homogénéiser le tout au fouet.
4. Transférer la fondue au chocolat dans votre caquelon et faire chauffer à feu doux.

PISTES HARMONIQUES DES LIQUIDES

Le café nous conduit sur la piste aromatique des vieux vins doux naturels non muscatés, donc à base de grenache, comme le rivesaltes hors d'âge et le maury de 10 ans et plus. Notre recette de cocktail coco rhum brun/café/érable (voir dans *Papilles pour tous ! Automne*, page 21) est aussi de mise !

FONDUE AU CHOCOLAT, CARAMEL DE LAIT ET HUILE DE NOIX

ASTUCE AROMATIQUE

Caramel, cannelle, noix et vanille sont sur la même piste aromatique que le cacao, d'où cette plus que gourmande version de fondue choco « upgradée » avec notre recette de Dulce de leche.

INGRÉDIENTS

125 ml (½ tasse) de lait 3,25 %
125 ml (½ tasse) de crème 35 %
½ gousse de vanille, graines raclées
2,5 ml (½ c. à thé) de cannelle moulue
30 ml (2 c. à soupe) de caramel de lait *dulce de leche* (voir recette suivante)
280 g (10 oz) de chocolat noir à 60 %, concassé
10 ml (2 c. à thé) d'huile de noix

PRÉPARATION

1. Dans une casserole à fond épais, mettre le lait et la crème à bouillir.
2. Hors du feu, ajouter la demi-gousse de vanille avec ses graines, l'huile de noix et la cannelle. Laisser infuser pendant quelques minutes et filtrer pour ne récupérer que le liquide.
3. Remettre le liquide dans une casserole et faire réchauffer avec le *dulce de leche*. Hors du feu, ajouter le chocolat en une seule fois. Remuer à l'aide d'une maryse pour rendre la texture lisse. Homogénéiser le tout au fouet.
4. Transférer la fondue au chocolat dans votre caquelon et faire chauffer à feu doux.

DULCE DE LECHE

INGRÉDIENTS

1 boîte (300 ml/1 ¼ tasse) de lait condensé Eagle Bran
1/2 gousse de vanille, graines raclées
5 ml (1 c. à thé) de cannelle moulue

PRÉPARATION

1. Préparer 2 casseroles d'eau et mettre à frémir.
2. Déposer la boîte de lait condensé dans une casserole et faire chauffer à petits frémissements pendant 3 heures*.
3. Retirer la boîte de l'eau et laisser refroidir complètement sur le comptoir avant de l'ouvrir.
4. Ouvrir et verser le contenu dans un bol à mélanger.

5. Ajouter la cannelle et les graines de vanille au lait condensé. Remuer pour bien incorporer le tout, puis verser dans un contenant hermétique.

*Il est très important que l'eau n'atteigne jamais le point d'ébullition durant la cuisson. Dès que le niveau d'eau commence à baisser, verser l'eau chaude de la seconde casserole pour que la boîte soit toujours recouverte d'eau.

GINGEMBRE/MIEL DE MENTHE/CITRON

GÂTEAU AU GINGEMBRE ET AU CITRON

ASTUCE AROMATIQUE

Un classique gâteau au gingembre/citron, que vous pouvez jazzer en y ajoutant des aliments complémentaires au gingembre, comme nous l'avons aussi fait avec le pamplemousse rose, le thé Earl Grey et les canneberges (voir recette, page suivante).

INGRÉDIENTS

120 g (½ tasse) de beurre
75 ml (⅓ tasse) de miel de menthe
90 g (³/₈ tasse) de sucre
60 ml (¼ tasse) de lait
240 g (2 tasses + 2 c. à thé) de farine blanche
10 ml (2 c. à thé) de poudre à lever
10 ml (2 c. à thé) de gingembre moulu
2 œufs entiers
Zestes d'un citron

PRÉPARATION

1. Préchauffer le four à 160 °C (325 °F).
2. Dans une casserole, verser le beurre, le miel, le sucre et le lait. Mélanger. Laisser chauffer à feu doux jusqu'à ce que le beurre soit entièrement fondu. Il est important de ne pas faire bouillir. Retirer du feu et laisser refroidir.
3. Dans un bol à mélanger, verser la farine, la poudre à lever et le gingembre. Mélanger. Ajouter le mélange de lait refroidi, les œufs et les zestes de citron, et mélanger le tout à l'aide d'un batteur électrique.
4. Beurrer et fariner un moule à cake et y verser la pâte. Enfourner et laisser cuire 50 minutes* (ou selon la taille du moule).

*Pour vérifier la cuisson : insérer la pointe d'un couteau au centre du gâteau et si elle en ressort propre, le gâteau est cuit à point.

PISTES HARMONIQUES DES LIQUIDES

Gewurztraminer et vins doux naturels de muscat sont des musts ! Mais aussi les vins moelleux de Jurançon. Enfin, osez une bière blanche, vous serez conquis.

GÂTEAU AU GINGEMBRE, PAMPLEMOUSSE ROSE, THÉ EARL GREY ET CANNEBERGES SÉCHÉES

ASTUCE AROMATIQUE

Notre seconde version de gâteau au gingembre, cette fois-ci aromatisé par les zestes de pamplemousse rose, les canneberges et le thé Earl Grey.

INGRÉDIENTS

- 1 pamplemousse rose
- 5 ml (1 c. à thé) de thé Earl Grey en feuilles
- 120 g (½ tasse) de beurre
- 90 g (3/8 tasse) de sucre
- 75 ml (1/3 tasse) de miel de menthe
- 60 ml (¼ tasse) de lait
- 240 g (2 tasses + 2 c. à thé) de farine blanche
- 10 ml (2 c. à thé) de poudre à lever
- 10 ml (2 c. à thé) de gingembre moulu
- 2 œufs entiers
- 125 ml (½ tasse) de canneberges séchées

PRÉPARATION

1. Préchauffer le four à 160 °C (325°F).
2. Laver et brosser le pamplemousse rose, puis l'assécher avec un papier absorbant. Prélever le zeste à l'aide d'une microplane. Réserver.
3. Dans un mortier, déposer le thé Earl Grey en feuilles et réduire en poudre à l'aide d'un pilon. Réserver.
4. Dans une casserole, verser le beurre, le miel, le sucre et le lait, et mélanger. Laisser chauffer à feu doux jusqu'à ce que le beurre soit entièrement fondu. Il est important de ne pas faire bouillir du tout. Retirer du feu et laisser refroidir.
5. Dans un bol à mélanger, verser la farine, le gingembre et la poudre à lever, et mélanger avec les mains. Ajouter le mélange de lait refroidi, les œufs, les zestes de pamplemousse et les canneberges, et mélanger le tout à l'aide d'un batteur électrique.
6. Beurrer et fariner un moule à cake et y verser la pâte. Enfourner et laisser cuire 50 minutes* (ou selon la taille du moule).

*Pour vérifier la cuisson : insérer la pointe d'un couteau au centre du gâteau et si elle en ressort propre, le gâteau est cuit à point.

PISTES HARMONIQUES DES LIQUIDES

Ici, le gingembre prend des allures de sauvignon blanc vendange tardive et de scheurebe autrichien. C'est que le trio canneberge/pamplemousse rose/thé Earl Grey va dans la direction de ces deux cépages. Mais à l'heure du thé à l'anglaise, un thé Earl Grey résonnera aussi en accord.

CAROTTE VIOLETTE/FRAMBOISE/ROSE

GÂTEAU AUX CAROTTES VIOLETTES, GLAÇAGE AUX FRAMBOISES ET EAU DE ROSE

ASTUCE AROMATIQUE

C'est en cuisinant un lapin au vin rouge « sans vin rouge » avec des carottes violettes qui donnent beaucoup de couleur à tout ce avec quoi elles sont cuisinées, que j'ai eu l'idée de ce gâteau. Il a une couleur surprenante et une saveur non moins étonnante de framboise. La carotte violette cuite développe des composés aromatiques de la framboise et de la rose, d'où leur présence dans ce gâteau éclectique. N'hésitez pas à le servir accompagné de quelques litchis, car ils sont aussi sur cette piste aromatique !

INGRÉDIENTS

GÂTEAU
287 g (2 ½ tasses) de farine blanche
10 ml (2 c. à thé) de poudre à lever
10 ml (2 c à thé) de cannelle moulue
2,5 ml (½ c. à thé) de sel
500 g (2 tasses) de sucre
1 pincée de safran
250 ml (1 tasse) d'huile d'olive
4 œufs
750 ml (3 tasses) de carottes violettes râpées

GLAÇAGE
120 g (½ tasse) de beurre, à la température ambiante
80 ml (1/3 tasse) de coulis de framboises
250 g (1 tasse) de fromage à la crème
375 g (2 ½ tasses) de sucre à glacer
10 ml (2 c. à thé) d'eau de rose

PRÉPARATION

1. Préchauffer le four à 180 °C (350 °F).
2. **Gâteau.** Dans un bol, tamiser et mélanger les ingrédients secs.
3. Dans un autre bol, mélanger l'huile et les œufs au batteur électrique.

4. Incorporer les ingrédients secs aux ingrédients humides. Ajouter les carottes râpées.

5. Verser la préparation dans un moule à gâteau bien graissé. Mettre au four et cuire environ 45 minutes ou lorsqu'un couteau en ressort propre lorsque vous piquez.

6. **Glaçage.** Battre le beurre mou, le coulis de framboises et le fromage à la crème au batteur électrique. Incorporer lentement le sucre. Ajouter l'eau de rose et battre jusqu'à consistance crémeuse.

7. Une fois que le gâteau est froid, le napper de ce succulent glaçage.

PISTES HARMONIQUES DES LIQUIDES

Un gewurztraminer pour les adultes, un soda au gingembre avec une framboise (ou avec de la purée de framboises) pour les enfants!

EAU DE ROSE/GRAINE DE CORIANDRE

LOUKOUM À L'EAU DE ROSE ET GRAINES DE CORIANDRE

ASTUCE AROMATIQUE

Comme les graines de coriandre sont sur le même mode aromatique que l'eau de rose, lorsque j'ai mordu dans un loukoum à la rose, je me suis dit « Eurêka! », il faut y ajouter des graines de coriandre pour créer une synergie digne de *Papilles!* Notez que l'orange, la lavande, la citronnelle et le cumin sont d'autres pistes aromatiques possibles avec les graines de coriandre. Tandis que le basilic thaï, le cassis, la citronnelle, le coing, la fleur d'osmanthus, le fruit de la passion, le girofle, le litchi, le poivre, le safran et le thé noir sont les autres pistes de la rose. À vos loukoums!

INGRÉDIENTS

100 ml (²/₅ tasse) d'eau

25 g (3 ½ c. à soupe) de gélatine en poudre

200 ml (⁴/₅ tasse) d'eau

450 g (1 ⁴/₅ tasse) de sucre

7,5 ml (1 ½ c. à thé) de graines de coriandre

15 ml (1 c. à soupe) d'eau de rose

Colorant alimentaire rouge

30 ml (2 c. à soupe) de sucre à glacer

30 ml (2 c. à soupe) de fécule de maïs

PRÉPARATION

1. Faire gonfler la gélatine dans 100 ml (²/₅ tasse) d'eau.

2. Verser 200 ml (⁴/₅ tasse) dans une casserole avec le sucre et les graines de coriandre. Porter à ébullition jusqu'à ce que la température atteigne 115 °C (239 °F). Retirer du feu.

3. Verser la gélatine dans le liquide chaud. Recuire jusqu'à 107 °C (225 °F).

4. Refroidir rapidement en plaçant la casserole dans une bassine d'eau froide. Mélanger sans cesse pendant quelques minutes.

5. Ajouter l'eau de rose et quelques gouttes de colorant pour obtenir la couleur requise. Verser le mélange dans un plat carré recouvert d'une feuille de papier sulfurisé. Réfrigérer pendant au moins 24 heures.

6. Mélanger le sucre à glacer et la fécule de maïs. À l'aide d'un ciseau, tailler des cubes de 2 à 3 cm (¾ à 1 po) de côté et rouler dans le mélange.

PISTES HARMONIQUES DES LIQUIDES

Les vins de cépage aromatique, comme ceux de muscat, de malvasia et de gewurztraminer sont vos pistes à suivre.

SIROP D'ÉRABLE/GIROFLE

PA D'OUS (CRÈME CARAMEL CATALANE)

ASTUCE AROMATIQUE

C'est quoi ça le « pa d'ous » ? Ah ! Sûrement un truc catalan... Stéphane Modat étant d'origine catalane, ceci explique cela ! Et sur la piste des épices utilisées, je lui ai proposé d'ajouter le sirop d'érable, question de signer la double nationalité de mon chef et ami catalano-québécois ! La camomille serait aussi une piste possible, disons plus « zen ».

INGRÉDIENTS

CRÈME

1 litre (4 tasses) de lait 3,25 %

Écorce d'un citron (ou d'une orange)

½ gousse de vanille, graines raclées

1 bâton de cannelle

1 étoile de badiane (anis étoilé)

3 clous de girofle

50 g (¼ tasse) de sucre

75 ml (⅓ tasse) de sirop d'érable

9 œufs entiers

CARAMEL

75 g (⅓ tasse) de sucre

30 ml (2 c. à soupe) d'eau

PRÉPARATION

1. Préchauffer le four à 150 °C (300 °F).

2. **Crème.** Dans une casserole munie d'un couvercle, verser le lait et porter à ébullition.

3. Retirer la casserole du feu. Ajouter l'écorce de citron, les graines de vanille, le bâton de cannelle, l'étoile de badiane et les clous de girofle. Couvrir et laisser infuser.

4. Caramel. Dans une casserole à fond épais, verser le sucre et l'eau, et porter à ébullition. Laisser bouillir le caramel jusqu'à ce qu'il devienne blond foncé. Verser dans un moule allant au four, et laisser refroidir.

5. Dans un grand bol à mélanger, verser le sucre, le sirop d'érable et les œufs. Battre à l'aide d'un fouet pour dissoudre le sucre. Au-dessus du bol, verser le lait infusé tiède dans un tamis et mélanger à l'aide d'un fouet. Laisser reposer la préparation jusqu'à ce qu'il n'y ait plus de petites bulles.

6. Verser le mélange de lait dans le moule contenant le caramel refroidi.

7. Dans un grand plat allant au four, déposer le moule de *pa d'ous*. Déposer le plat au four et verser de l'eau chaude jusqu'aux trois quarts du moule contenant le *pa d'ous*. Laisser cuire environ 30 minutes*. Si, durant la cuisson, le *pa d'ous* roussit trop, le recouvrir de papier d'aluminium pour terminer la cuisson.

*Il est cuit quand une aiguille (à tricoter) tient toute seule! Eh oui, c'est une autre tradition catalane!

PISTES HARMONIQUES DES LIQUIDES

Bière brune/xérès amontillado et oloroso/porto tawny/madère bual et malmsey/rhum brun âgé/bourbon. Mais aussi quelques vins doux naturels non muscatés et hors d'âge, ou très vieux, originaires de Catalogne, tels le banyuls, le maury et le rivesaltes.

CURRY/ÉRABLE

POUDING-CHÔMEUR À L'INDIENNE CURRY/ÉRABLE

ASTUCE AROMATIQUE

Ici, le grand classique du terroir québécois a été métissé avec un soupçon de curry. Pourquoi indianiser nos origines? Tout simplement parce que le curry est l'aliment possédant le plus de liens aromatiques (molécules) avec notre sirop d'érable. Deux ingrédients et deux cultures, mais une seule saveur! En fait, c'est la piste du sotolon (voir le chapitre du même nom dans le livre *Papilles et Molécules*.

INGRÉDIENTS

GÂTEAU
375 ml (1 ½ tasse) de farine
5 ml (1 c. à thé) de poudre à lever
7 ml (1 ½ c. à thé) de poudre de curry
60 ml (¼ tasse) de beurre, à la température ambiante

250 ml (1 tasse) de sucre
250 ml (1 tasse) de lait

SAUCE
250 ml (1 tasse) de sirop érable
250 ml (1 tasse) de cassonade
250 ml (1 tasse) d'eau bouillante
65 ml (¼ tasse) de beurre

PRÉPARATION

1. Préchauffer le four à 160 °C (325 °F).
2. **Gâteau.** Dans un bol, tamiser ensemble la farine, la poudre à lever et le curry.
3. À l'aide d'un fouet électrique, battre le beurre avec le sucre, jusqu'à l'obtention d'une consistance onctueuse.
4. En alternant, ajouter le lait et la farine en plusieurs fois.
5. Beurrer un moule de 32 x 22 cm (12 ½ x 9 po) et y verser la pâte. Réserver.
6. **Sauce.** Dans une casserole, mettre tous les ingrédients et bouillir 2 minutes.
7. Verser la sauce lentement sur la pâte sans mélanger.
8. Enfourner 45 minutes.

PISTES HARMONIQUES DES LIQUIDES

Le duo curry/érable permet une large zone de confort harmonique, à commencer par les vins liquoreux de type sauternes. Puis, l'accord résonne autant avec une bière brune qu'avec un xérès oloroso, un tokaji aszú, un porto tawny, un madère bual ou malmsey, un saké de type nigori, tout comme avec un vieux rhum brun.

FRAISE/GINGEMBRE

TARTE AUX FRAISES, À LA RHUBARBE ET AU GINGEMBRE

ASTUCE AROMATIQUE

Multiples sont les ingrédients complémentaires à la fraise, dont le gingembre. Sachez que comme l'ananas est le jumeau moléculaire de la fraise, vous pouvez ajouter de l'ananas, ou tout simplement confectionner une tarte ananas/gingembre !

INGRÉDIENTS

500 ml (2 tasses) de rhubarbe, en dés
250 g (1 tasse) de sucre
30 ml (2 c. à soupe) de fécule de maïs
500 ml (2 tasses) de fraises mûres, coupées en quatre
22,5 ml (1 ½ c. à soupe) de gingembre frais, congelé et râpé
2 abaisses de pâte à tarte

PRÉPARATION

1. Préchauffer le four à 200 °C (400 °F).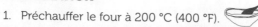

2. Blanchir la rhubarbe quelques secondes dans une casserole d'eau bouillante, pour la ramollir un peu. Refroidir dans un bol d'eau froide. Égoutter.

3. Mélanger le sucre et la fécule de maïs.

4. Ajouter les fraises, la rhubarbe et le gingembre. Mélanger et laisser reposer le temps de chemiser le moule à tarte.

5. Tapisser une assiette à tarte d'environ 25 cm (10 po) avec une abaisse de pâte. Déposer le mélange de fruits. Recouvrir de l'autre abaisse de tarte.

6. Dorer la surface de la tarte avec un jaune d'œuf diluer dans un peu d'eau.

7. Placer la tarte sur une tôle à biscuits et enfourner de 10 à 15 minutes au milieu du four. Réduire la chaleur du four à 180 °C (350 °F) et cuire 40 minutes*.

8. Laisser refroidir avant de déguster.

*Si la coloration devient trop prononcée, placer une feuille de papier aluminium sur la tarte pour continuer la cuisson.

PISTES HARMONIQUES DES LIQUIDES

Sauternes, jurançon moelleux et pacherenc-du-vic-bilh moelleux sont sur votre liste de choix harmoniques.

CHOCOLAT NOIR/THÉ NOIR FUMÉ

WHOOPIES AU CHOCOLAT NOIR ET AU THÉ NOIR FUMÉ

ASTUCE AROMATIQUE

Avec Stéphane, nous nous sommes amusés à jazzer, façon *Papilles*, les célèbres whoopies. Débutons avec cette version au thé noir fumé, qui partage le même profil aromatique que le chocolat noir.

INGRÉDIENTS

BISCUIT
120 g (½ tasse) de beurre doux, en pommade
180 g (⅞ tasse) de sucre
1 œuf
240 g (2 tasses + 2 c. à thé) de farine tamisée
10 ml (2 c. à thé) de poudre à lever
50 g (¼ tasse) de cacao en poudre
100 ml (⅖ tasse) de lait
5 ml (1 c. à thé) de Lapsang Souchong

GARNITURE

100 g (3½ oz) de chocolat noir
30 g (2 c. à soupe) de beurre
100 ml (²/₅ tasse) de crème 35 %

PRÉPARATION

1. **Biscuit.** Préchauffer le four à 180 °C (350 °F). Fouetter le beurre et le sucre jusqu'à ce que le mélange blanchisse. Ajouter l'œuf, la farine, la poudre à lever et le cacao. Mélanger délicatement et verser le lait petit à petit dans la préparation.

2. Poser un papier sulfurisé ou un tapis de cuisson sur une plaque allant au four. À l'aide d'une poche à douille, réaliser de petits palets de pâte. Enfourner pendant 15 minutes. Laisser les biscuits refroidir hors de la plaque.

3. **Garniture.** Mettre le chocolat et le beurre dans un bol. Dans une casserole, porter la crème à ébullition, puis la verser sur le chocolat et mélanger avec un fouet pour obtenir une crème homogène.

4. Laisser refroidir la garniture au réfrigérateur en brassant régulièrement. Lorsqu'elle a acquis la texture d'une pommade, en mettre une noisette entre 2 biscuits.

PISTES HARMONIQUES DES LIQUIDES

Cette variation fumée/cacaotée est le royaume des bières noires, plus particulièrement du type double porter fumé. Des eaux-de-vie longuement élevées en fûts de chêne américain, comme le bourbon et certains rhums de Guyane, sont aussi d'étonnants compagnons.

ARACHIDES GRILLÉES/CHOCOLAT NOIR

WHOOPIES AU CHOCOLAT NOIR, AU THÉ NOIR FUMÉ ET AUX ARACHIDES GRILLÉES

ASTUCE AROMATIQUE

Notre deuxième version de whoopies, cette fois-ci, en plus du thé noir fumé, on y a ajouté des arachides grillées. C'est que ces dernières partagent un lien aromatique plus qu'étroit avec le chocolat noir et le thé fumé.

INGRÉDIENTS

BISCUIT

120 g (½ tasse) de beurre doux, en pommade
180 g (⁷/₈ tasse) de sucre
1 œuf
240 g (2 tasses + 2 c. à thé) de farine tamisée
10 ml (2 c. à thé) de poudre à lever
5 ml (1 c. à thé) de Lapsang Souchong, réduit en poudre fine
50 g (¼ tasse) de cacao en poudre

100 ml (²/₅ tasse) de lait
125 ml (½ tasse) d'arachides, grillées et concassées

GARNITURE
100 g (3 ½ oz) de chocolat noir
30 g (2 c. à soupe) de beurre
100 ml (²/₅ tasse) de crème 35 %

PRÉPARATION

1. **Biscuit.** Préchauffer le four à 180 °C (350 °F). Fouetter le beurre et le sucre jusqu'à ce que le mélange blanchisse. Ajouter l'œuf, la farine, la poudre à lever, le thé noir fumé et le cacao. Mélanger délicatement et verser le lait froid petit à petit dans la préparation. Une fois le mélange prêt, ajouter les arachides concassées à la spatule.

2. Poser un papier sulfurisé ou un tapis de cuisson sur une plaque allant au four. À l'aide d'une poche à douille, réaliser de petits palets de pâte. Enfourner pendant 15 minutes. Laisser les biscuits refroidir hors de la plaque.

3. **Garniture.** Mettre le chocolat et le beurre dans un bol. Porter la crème à ébullition, puis la verser sur le chocolat et mélanger avec un fouet pour obtenir une crème homogène. Laisser refroidir au réfrigérateur en brassant régulièrement. Lorsque la crème a la texture d'une pommade, en mettre une noisette entre 2 biscuits.

PISTES HARMONIQUES DES LIQUIDES

Les mêmes pistes que pour les précédents whoopies au chocolat noir et au thé noir fumé, avec en plus la possibilité d'élargir la zone de confort harmonique avec un xérès amontillado ou oloroso, un porto tawny de 20 ans et plus, un madère bual ou un vin santo.

WHOOPIES AU CHOCOLAT NOIR ET AU CAFÉ

ASTUCE AROMATIQUE

Vous le savez probablement maintenant si vous suivez nos aventures aromatiques, le chocolat et le café sont intimement liés par plusieurs composés volatils. Infinies sont les versions de desserts café-chocolat possibles. D'ailleurs aussi les recettes en mode salé !

INGRÉDIENTS

BISCUIT
120 g (½ tasse) de beurre doux, en pommade
180 g (⁷/₈ tasse) de sucre
1 œuf

240 g (2 tasses + 2 c. à thé) de farine tamisée

10 ml (2 c. à thé) de poudre à lever

7,5 ml (1 ½ c. à thé) de café soluble

50 g (¼ tasse) de cacao en poudre

100 ml (²/₅ tasse) de lait

GARNITURE

100 g (3 ½ oz) de chocolat noir

30 g (2 c. à soupe) de beurre

100 ml (²/₅ tasse) de crème 35 %

PRÉPARATION

1. **Biscuit.** Préchauffer le four à 180 °C (350 °F). Fouetter le beurre et le sucre jusqu'à ce que le mélange blanchisse. Ajouter l'œuf, la farine, la poudre à lever, le café soluble et le cacao. Mélanger délicatement et petit à petit verser le lait froid dans la préparation.

2. Poser un papier sulfurisé ou un tapis de cuisson sur une plaque allant au four. À l'aide d'une poche à douille, réaliser de petits palets de pâte. Enfourner pendant 15 minutes. Laisser les biscuits refroidir hors de la plaque.

3. **Garniture.** Mettre le chocolat et le beurre dans un bol. Dans une casserole, porter la crème à ébullition, puis la verser sur le chocolat et mélanger avec un fouet pour obtenir une crème homogène.

4. Laisser refroidir la garniture au réfrigérateur en brassant régulièrement. Lorsque la crème a la texture d'une pommade, en mettre une noisette entre 2 biscuits.

PISTES HARMONIQUES DES LIQUIDES

Assurément les mêmes propositions que pour les whoopies au chocolat noir et au thé noir fumé, auxquelles s'ajoutent notre recette de coco cognac cocktail (recette dans le livre *Papilles pour tous! Automne*), ainsi qu'un Kalhua sur glace, nature ou allongé de lait – parfait pour saucer votre whoopie!

FRAMBOISE/CHOCOLAT NOIR/THÉ NOIR FUMÉ

WHOOPIES AU CACAO ET AU THÉ NOIR FUMÉ, GANACHE AU CHOCOLAT NOIR ET AUX FRAMBOISES

ASTUCE AROMATIQUE

Attachez vos tuques avec de la broche, ici on a haussé de quelques tons la synergie aromatique de nos whoopies en y ajoutant de la ganache et des framboises, elles aussi sur la même piste aromatique.

INGRÉDIENTS

BISCUIT

120 g (½ tasse) de beurre doux, en pommade
180 g (⅞ tasse) de sucre
1 œuf
240 g (2 tasses + 2 c. à thé) de farine tamisée
10 ml (2 c. à thé) de poudre à lever
50 g (¼ tasse) de cacao en poudre
100 ml (⅖ tasse) de lait
5 ml (1 c. à thé) de thé Lapsang Souchong

GARNITURE

125 g (3 ½ oz) de chocolat noir
30 g (2 c. à soupe) de beurre
80 g (3 oz) de coulis de framboises non sucré
100 ml (⅖ tasse) de crème 35 %

PRÉPARATION

1. **Biscuit.** Préchauffer le four à 180 °C (350 °F). Fouetter le beurre et le sucre jusqu'à ce que le mélange blanchisse. Ajouter l'œuf, la farine tamisée, la poudre à lever et le cacao. Mélanger délicatement et verser le lait petit à petit dans la préparation.

2. Poser un papier sulfurisé ou un tapis de cuisson sur une plaque allant au four. À l'aide d'une poche à douille, réaliser de petits palets de pâte. Enfourner pendant 15 minutes. Laisser les biscuits refroidir hors de la plaque.

3. **Garniture.** Mettre le chocolat et le beurre dans un bol. Dans une casserole, porter la crème à ébullition, puis la verser sur le chocolat et mélanger avec un fouet pour obtenir une crème homogène. Ajouter le coulis de framboises et lisser la préparation au fouet.

4. Laisser refroidir la garniture au réfrigérateur en brassant régulièrement. Lorsque la crème a la texture d'une pommade, en mettre une noisette entre 2 biscuits.

PISTES HARMONIQUES DES LIQUIDES

L'ajout de ganache, et surtout de framboises à notre whoopie, nous conduit vers le service d'un porto de type late bottled vintage ou vintage, tout comme d'un jeune vin doux naturel non muscaté, c'est-à-dire à base de grenache, comme le sont ceux de Banyuls, Maury et Rivesaltes. Les plus aventureux oseront un généreux merlot du Nouveau Monde.

BÉARNAISE À L'ESTRAGON

ASTUCE AROMATIQUE

Nous avons remplacé le traditionnel poivre vert de cette sauce classique par la badiane, question de demeurer dans la famille des anisés, qui est la piste aromatique de l'estragon. Partant de là, cette sauce peut servir pour une multitude de plats, comme le filet de bœuf à la béarnaise, ou encore les œufs bénédictine, où la sauce hollandaise est remplacée par cette béarnaise ! Ainsi, le lien pour l'accord avec les liquides est renforcé.

INGRÉDIENTS

45 ml (3 c. à soupe) de vinaigre de vin blanc
45 ml (3 c. à soupe) de vin blanc
1 étoile de badiane, réduite en poudre
3 échalotes grises moyennes, finement hachées
3 jaunes d'œufs
175 g (¾ tasse) de beurre doux, en petits cubes
30 ml (⅛ tasse) de feuilles d'estragon, hachées
Sel de mer et poivre blanc
Crème 35 % (facultatif)

PRÉPARATION

1. Dans une petite casserole en fonte émaillée, verser le vinaigre, le vin blanc, la badiane et les échalotes. Faire réduire jusqu'aux deux tiers.

2. Verser la préparation dans un tamis fin en pressant pour extraire le maximum de saveur des aromates. Conserver le liquide.

3. Rincer la casserole et y remettre le liquide aromatique ainsi que les jaunes d'œufs et une pincée de sel. Mélanger le tout à l'aide d'un fouet.

4. Dans une autre casserole, faire bouillir un peu d'eau, puis réduire le feu.

5. Déposer la casserole en fonte émaillée sur la casserole contenant l'eau de façon à former un bain-marie. Fouetter constamment jusqu'à ce que la sauce épaississe un peu.

6. Ajouter 1 cube de beurre et l'incorporer en fouettant pour émulsionner la sauce.

7. Retirer la casserole du bain-marie et ajouter le reste des morceaux de beurre un à un, en fouettant constamment. Si le mélange refroidit trop, remettre la casserole sur le bain-marie pour le réchauffer et faciliter l'incorporation des cubes de beurre.

8. Lorsque tous les cubes de beurre sont incorporés, rectifier l'assaisonnement et ajouter l'estragon haché. Mélanger délicatement. Servir immédiatement*.

*Pour empêcher la sauce de « casser » (de se séparer), vous pourrez ajouter à la fin un peu de crème 35 %.

CONDIMENTS ET MARINADES

PISTES HARMONIQUES DES LIQUIDES

La piste des aliments à goût anisé, comme l'estragon et l'anis étoilé, vous signale que votre choix doit s'arrêter soit en blanc, sur un sauvignon blanc, soit en rouge, sur une syrah, soit en mode « thé », sur un sencha.

CHUTNEY AUX CANNEBERGES ET GINGEMBRE

ASTUCE AROMATIQUE

Parmi les aliments complémentaires à notre canneberge nationale, il y a le gingembre. C'est d'ailleurs avec lui qu'elle résonne le plus fort. Girofle, vanille, betterave rouge, cardamome sont aussi de ce nombre, d'où les autres versions de chutney qui suivent celle-ci. Enfin, sachez que le riz basmati est aussi sur le même mode aromatique. Donc, n'hésitez pas à accompagner vos viandes ou vos poissons de ce chutney et de riz basmati.

INGRÉDIENTS

500 g (2 tasses) de sucre
250 ml (1 tasse) de vinaigre de xérès
Jus d'un pamplemousse rose
2 oignons, hachés finement
300 g (3 tasses) de canneberges, fraîches ou surgelées
Zestes d'un pamplemousse rose
45 ml (3 c. à soupe) de gingembre frais, en julienne

PRÉPARATION

1. Dans une casserole, verser le sucre, le vinaigre de xérès et le jus du pamplemousse. Porter à ébullition en remuant jusqu'à ce que le sucre soit complètement fondu.
2. Ajouter les oignons et cuire à feu moyen pendant 10 minutes.
3. Ajouter les canneberges, les zestes de pamplemousse et le gingembre.
4. Cuire à feu doux, en remuant souvent jusqu'à ce que la préparation ressemble à une confiture.
5. Réserver dans des pots ou des contenants hermétiques.

PISTES HARMONIQUES DES LIQUIDES

Le gewurztraminer est le cépage portant le plus de marqueurs aromatiques de même famille que la canneberge, et, comme vous le savez maintenant, le gingembre.

CHUTNEY AUX CANNEBERGES AU CLOU DE GIROFLE ET VANILLE

ASTUCE AROMATIQUE

Le clou de girofle et la vanille apportent une identité plus chaude et sensuelle à la fraîcheur zestée de cette baie dont les champs sont inondés lors des récoltes.

INGRÉDIENTS

500 g (2 tasses) de sucre
125 ml (½ tasse) d'eau
250 ml (1 tasse) de vinaigre de xérès
2 oignons, hachés finement
300 g (3 tasses) de canneberges, fraîches ou surgelées
½ gousse de vanille, graines raclées
3 clous de girofle, réduits en poudre

PRÉPARATION

1. Dans une casserole, verser le sucre, l'eau et le vinaigre de xérès. Porter à ébullition en remuant jusqu'à ce que le sucre soit complètement fondu.
2. Ajouter les oignons et cuire à feu moyen pendant 10 minutes.
3. Ajouter les canneberges, les graines et la vanille ainsi que le clou de girofle.
4. Cuire à feu doux, en remuant souvent jusqu'à ce que la préparation ressemble à une confiture.
5. Réserver dans des pots ou des contenants hermétiques.

PISTES HARMONIQUES DES LIQUIDES

Le clou de girofle et la vanille ont beau être dans la même famille aromatique que la canneberge, ils sont aussi des marqueurs importants des vins élevés en barriques. C'est donc l'occasion de servir, en blanc, un pinot gris « barrique », ou en rouge, un pinot noir du Nouveau Monde – car le pinot noir est aussi sur la piste aromatique de la canneberge.

CHUTNEY AUX CANNEBERGES, AUX BETTERAVES ROUGES ET CANNELLE

ASTUCE AROMATIQUE

L'étonnant duo canneberge et betterave rouge éclate littéralement en bouche ! La cannelle, aussi sur la même fréquence aromatique, lorsqu'utilisée avec parcimonie, comme dans cette recette, crée aussi un effet exhausteur de goût.

INGRÉDIENTS

500 g (2 tasses) de sucre

250 ml (1 tasse) de vinaigre de xérès

Jus d'une orange navel (ou à jus)

2 oignons, hachés finement

300 g (3 tasses) de canneberges, fraîches ou surgelées

1 betterave rouge moyenne cuite, épluchée et taillée en dés

Zestes d'une orange

1 bâton de cannelle

PRÉPARATION

1. Dans une casserole, verser le sucre, le vinaigre de xérès et le jus d'orange. Porter à ébullition en remuant jusqu'à ce que le sucre soit complètement fondu.

2. Ajouter les oignons et cuire à feu moyen pendant 10 minutes.

3. Ajouter les canneberges, la betterave, les zestes d'orange et le bâton de cannelle.

4. Cuire à feu doux, en remuant souvent jusqu'à ce que la préparation ressemble à une confiture.

5. Réserver dans des pots ou des contenants hermétiques.

PISTES HARMONIQUES DES LIQUIDES

Qui dit betterave rouge, canneberge et cannelle dit aussi pinot noir du Nouveau Monde.

CARDAMOME/PAMPLEMOUSSE ROSE

CHUTNEY AUX CANNEBERGES ET CARDAMOME

ASTUCE AROMATIQUE

La cardamome et le pamplemousse rose, de même profil aromatique que la canneberge, viennent ici électrifier cette déjà électrisante baie rouge.

INGRÉDIENTS

500 g (2 tasses) de sucre

250 ml (1 tasse) de vinaigre de xérès

Jus d'un pamplemousse rose

2 oignons, hachés finement

300 g (3 tasses) de canneberges, fraîches ou surgelées

Zestes d'un pamplemousse rose

5 ml (1 c. à thé) de cardamome verte moulue

PRÉPARATION

1. Dans une casserole, verser le sucre, le vinaigre de xérès et le jus du pamplemousse. Porter à ébullition en remuant jusqu'à ce que le sucre soit complètement fondu.
2. Ajouter les oignons et cuire à feu moyen pendant 10 minutes.
3. Ajouter les canneberges, les zestes de pamplemousse et la cardamome.
4. Cuire à feu doux, en remuant souvent jusqu'à ce que la préparation ressemble à une confiture.
5. Réserver dans des pots ou des contenants hermétiques.

PISTES HARMONIQUES DES LIQUIDES

Le gewurztraminer est un cépage dont les arômes des vins qui en sont issus appartiennent à la famille des terpènes. Ces derniers sont aussi ceux des vins de riesling et de muscat. Exactement ce qui résonne à la perfection avec la cardamome et le pamplemousse rose.

CITROUILLE/ÉPINARD

PESTO D'ÉPINARDS AUX GRAINES DE CITROUILLE

ASTUCE AROMATIQUE

Comme les épinards sont un des aliments complémentaires aux graines de citrouille, nous vous proposons d'utiliser notre recette de graines de citrouille grillées (voir recette, page 190) dans ce pesto d'épinards. Puis, comme le curcuma et le curry sont aussi sur la piste aromatique de la citrouille, deux recettes de pesto d'épinards au curcuma et au curry suivent celle-ci.

INGRÉDIENTS

15 ml (1 c. à soupe) de beurre salé
2 têtes d'ail, hachées
500 g (1 lb) d'épinards, lavés et séchés
125 ml (½ tasse) de parmesan râpé
45 ml (3 c. à soupe) de graines de citrouille grillées
15 ml (1 c. à soupe) d'huile de citrouille grillée
125 ml (½ tasse) d'huile d'olive
Sel, poivre

PRÉPARATION

1. Dans une poêle, faire fondre le beurre et faire revenir l'ail doucement, sans coloration.
2. Ajouter les épinards et les faire fondre tranquillement. Réserver dans une passoire fine pour les égoutter.

3. Dans le bol d'un robot culinaire, verser les épinards égouttés, le parmesan, les graines et l'huile de citrouille, ainsi que la moitié de la quantité d'huile d'olive. Mixer pour obtenir une pâte lisse et homogène, en ajoutant la deuxième moitié de l'huile d'olive en filet.

4. Goûter, rectifier l'assaisonnement en sel et réserver.

PISTES HARMONIQUES DES LIQUIDES

Qui dit graines de citrouille grillées, dit aussi champagne, chardonnay boisé, riesling du Nouveau Monde et fumé blanc boisé – qui sont tous sur la piste aromatique de ces graines grillées, tout comme des épinards.

CURCUMA/CITROUILLE/ÉPINARD

PESTO D'ÉPINARDS AUX GRAINES DE CITROUILLE ET CURCUMA

ASTUCE AROMATIQUE

Le curcuma est l'un des aliments complémentaires à la citrouille et aux épinards.

INGRÉDIENTS

15 g (1 c. à soupe) de beurre salé
2 têtes d'ail, hachées
500 g (1 lb) d'épinards, lavés et séchés
125 ml (½ tasse) de parmesan râpé
10 ml (2 c. à thé) de curcuma en poudre
45 ml (3 c. à soupe) de graines de citrouille, grillées
15 ml (1 c. à soupe) d'huile de citrouille grillée
125 ml (½ tasse) d'huile d'olive
Sel, poivre

PRÉPARATION

1. Dans une poêle, faire fondre le beurre et faire revenir l'ail doucement, sans coloration.

2. Ajouter les épinards et les faire fondre tranquillement. Réserver dans une passoire fine pour les égoutter.

3. Dans le bol d'un robot culinaire, verser les épinards égouttés, le parmesan, le curcuma, les graines et l'huile de citrouille, et la moitié de l'huile d'olive. Mixer pour obtenir une pâte lisse et homogène, en ajoutant la deuxième moitié de l'huile d'olive en filet.

4. Goûter, rectifier l'assaisonnement en sel et réserver.

PISTES HARMONIQUES DES LIQUIDES

Champagne, chardonnay boisé, riesling du Nouveau Monde et fumé blanc boisé.

PESTO D'ÉPINARDS AUX GRAINES DE CITROUILLE ET CURRY

ASTUCE AROMATIQUE

La rencontre curry-citrouille-épinard crée une imposante synergie aromatique dont le résultat est plus grand que la somme des parties. C'est ça le principe aromatique de *Papilles !*

INGRÉDIENTS

15 g (1 c. à soupe) de beurre salé
2 têtes d'ail, hachées
7,5 ml (1 ½ c. à thé) de curry en poudre
500 g (1 lb) d'épinards, lavés et séchés
125 ml (½ tasse) de parmesan râpé
45 ml (3 c. à soupe) de graines de citrouille, grillées
15 ml (1 c. à soupe) d'huile de citrouille grillée
125 ml (½ tasse) d'huile d'olive
Sel, poivre

PRÉPARATION

1. Dans une poêle, faire fondre le beurre et faire revenir l'ail doucement, sans coloration. Mettre le curry en poudre et cuire encore quelques minutes.
2. Ajouter les épinards et les faire fondre tranquillement. Réserver dans une passoire fine pour les égoutter.
3. Dans le bol d'un robot culinaire, verser les épinards égouttés, le parmesan, les graines et l'huile de citrouille, et la moitié de l'huile d'olive. Mixer pour obtenir une pâte lisse et homogène, en ajoutant la deuxième moitié de l'huile en filet.
4. Goûter et rectifier l'assaisonnement en sel et réserver.

PISTES HARMONIQUES DES LIQUIDES

Bière brune, vin blanc boisé ou mature à base de roussanne, vin jaune du Jura.

CRACKERS «KAMPAÏ!» SALÉS MULTIGRAINS

ASTUCE AROMATIQUE

Pour créer ce cracker kampaï!, donc santé, nous y avons ajouté du café et des noisettes grillées, tous deux marqués par le sotolon, un composé volatil du lin. Afin de rester sur cette piste aromatique, vous pouvez accompagner le cracker d'une réduction de vinaigre balsamique et de miel. Si vous utilisez en quantité dominante les graines séchées et torréfiées de citrouille, alors le curcuma et le poivre seront deux bonnes pistes. Enfin, si vous utilisez les graines de sésame grillées, le café, la vanille, la muscade et la réglisse seront de mise.

INGRÉDIENTS

100 g (²/₅ tasse) de graines mélangées (sésame, tournesol, citrouille...)
75 g (²/₃ tasse) de noisettes grillées concassées finement
160 g (⁵/₈ tasse) de graines de lin
250 ml (1 tasse) d'eau
2,5 g (½ c. à thé) de sel de mer
5 ml (1 c. à thé) de café soluble

PRÉPARATION

1. Dans une poêle, déposer les graines mélangées, puis torréfier à feu moyen en prenant soin de les remuer constamment. Réserver.

2. Dans la même poêle, déposer les noisettes, puis torréfier à feu moyen en prenant soin de les remuer constamment. Déposer les noisettes dans un mortier et concasser à l'aide d'un pilon. Réserver.

3. Dans un petit bol à mélanger, déposer les graines de lin, puis recouvrir de 125 ml (½ tasse) d'eau. Laisser tremper pendant 6 heures.

4. Dans un autre petit bol, déposer les graines mélangées, puis recouvrir de 125 ml (½ tasse) d'eau. Laisser tremper pendant 6 heures.

5. Égoutter les graines mélangées, puis les ajouter aux graines de lin gonflées (non égouttées). Ajouter ensuite le sel, le café soluble et les noisettes.

6. Préchauffer le four à 76 °C (170 °F).

7. Sur une plaque à biscuits, déposer une feuille de papier sulfurisé, puis étaler finement la préparation en rectangle. Recouvrir d'une seconde feuille de papier sulfurisé, puis enfourner. Cuire pendant 4 heures, en prenant soin de retourner la galette au bout de 2 heures pour que la cuisson soit uniforme.

8. Laisser refroidir la galette, puis la briser en éclats et servir !

Note : vous pouvez conserver les crackers dans un contenant hermétique ou dans une boîte à biscuits.

PISTES HARMONIQUES DES LIQUIDES

Vin santo/xérès fino ou amontillado/champagne âgé/bière brune/saké/vin blanc âgé et oxydatif/lait d'amandes ou de sésame/root beer (je m'amuse, mais c'est vrai quand même !).

 # GRAINES DE CITROUILLE GRILLÉES AU SEL

ASTUCE AROMATIQUE

Comme les aliments complémentaires à la citrouille sont, entre autres, le curcuma, le curry, les épinards, l'oseille et le maïs, nous vous proposons quelques versions de graines de citrouille grillées et aromatisées. Ajoutez-les aussi à une salade d'épinards ou à une tombée d'épinards et grains de maïs.

INGRÉDIENTS

500 ml (2 tasses) de graines de citrouille fraîches
30 ml (2 c. à soupe) d'huile d'olive
15 ml (3 c. à thé) de fleur de sel

 ### PRÉPARATION

1. Retirer les graines de la citrouille et les rincer pour enlever les filaments et les restes de chair. Assécher complètement et déposer dans un grand saladier.
2. Préchauffer le four à 190 °C (375 °F).
3. Verser l'huile d'olive sur les graines et remuer pour bien les enrober.
4. Ajouter le sel et remuer encore.
5. Disposer les graines uniformément sur une plaque à biscuits préalablement recouverte d'une feuille de papier sulfurisé.
6. Enfourner et cuire 15 à 20 minutes. Laisser refroidir et déguster.

ASTUCE DE SERVICE

Vous pouvez les utiliser pour rehausser nos recettes de pesto d'épinards (voir pages 185 à 186).

PISTES HARMONIQUES DES LIQUIDES

Qui dit graines de citrouille grillées dit aussi champagne, chardonnay boisé, riesling du Nouveau Monde et fumé blanc boisé – qui sont tous sur la piste aromatique de ces graines grillées.

GRAINES DE CITROUILLE GRILLÉES AU SEL ET CURCUMA

ASTUCE AROMATIQUE

Le curcuma est l'un des aliments complémentaires à la citrouille (voir la recette précédente pour connaître les autres). Les épinards étant du nombre, utilisez ces graines dans notre recette de pesto d'épinards aux graines de citrouille grillées au curcuma (voir recette, page 186).

INGRÉDIENTS

500 ml (2 tasses) de graines de citrouille fraîches
30 ml (2 c. à soupe) d'huile d'olive
15 ml (3 c. à thé) de fleur de sel
5 ml (1 c. à thé) de curcuma en poudre

PRÉPARATION

1. Retirer les graines de citrouille et les rincer pour enlever les filaments et les restes de chair. Assécher complètement et déposer dans un grand saladier.
2. Préchauffer le four à 190 °C (375 °F).
3. Verser l'huile d'olive sur les graines et remuer pour bien les enrober.
4. Ajouter le sel et remuer encore.
5. Disposer uniformément les graines sur une plaque à biscuits préalablement recouverte d'une feuille de papier sulfurisé.
6. Enfourner et cuire 15 à 20 minutes.
7. À la sortie du four, saupoudrer uniformément le curcuma sur les graines de citrouille. Laisser refroidir et déguster.

ASTUCE DE SERVICE

Vous pouvez les utiliser pour rehausser nos recettes de pesto d'épinards (voir pages 185 à 187).

PISTES HARMONIQUES DES LIQUIDES

Les mêmes propositions que la précédente recette.

GRAINES DE CITROUILLE GRILLÉES À LA SAUCE SOYA

ASTUCE AROMATIQUE

La sauce soya est aussi l'un des ingrédients complémentaires à la citrouille (pour connaître les autres, voir la recette de graines de citrouille grillées au sel, page 190).

INGRÉDIENTS

500 ml (2 tasses) de graines de citrouille fraîches
1 pincée de fécule de maïs
60 ml (4 c. à soupe) de sauce soya

PRÉPARATION

1. Retirer les graines de la citrouille et les rincer pour enlever tous les filaments et les restes de chair. Assécher complètement et déposer dans un grand saladier.

2. Préchauffer le four à 190 °C (375 °F).

3. Dans un contenant allant au four à micro-ondes, délayer la fécule dans la sauce soya. Cuire pendant 35 secondes à puissance maximum.

4. Verser la sauce soya sur les graines et remuer pour bien les enrober.

5. Disposer les graines sur une plaque à biscuits préalablement recouverte d'une feuille de papier sulfurisé.

6. Enfourner et cuire 15 à 20 minutes. Laisser refroidir et déguster.

PISTES HARMONIQUES DES LIQUIDES

La synergie aromatique apportée par la sauce soya nous dirige cette fois vers une bière brune ou un vin blanc boisé ou mature, plus particulièrement à base de roussanne. Un vin jaune du Jura éclate aussi en présence de ce duo.

CURRY/SAUCE SOYA/CITROUILLE

GRAINES DE CITROUILLE GRILLÉES À LA SAUCE SOYA ET AU CURRY

ASTUCE AROMATIQUE

Qui dit sauce soya dit curry – et aussi sirop d'érable (voir recette suivante).

INGRÉDIENTS

500 ml (2 tasses) de graines de citrouille fraîches
60 ml (4 c. à soupe) de sauce soya
15 ml (1 c. à thé) de curry en poudre
1 pincée de fécule de maïs

PRÉPARATION

1. Retirer les graines de la citrouille et les rincer pour enlever tous les filaments et les restes de chair. Assécher complètement et déposer dans un grand saladier.

2. Préchauffer le four à 190 °C (375 °F).

3. Dans un contenant allant au four à micro-ondes, délayer la sauce soya avec la fécule. Cuire pendant 35 secondes à puissance maximum.

4. Verser la sauce soya sur les graines et remuer pour bien les enrober.

5. Disposer les graines uniformément sur une plaque à biscuits préalablement recouverte d'une feuille de papier sulfurisé.

6. Enfourner et cuire 15 à 20 minutes. À la sortie du four, saupoudrer uniformément le curry sur les graines de citrouille et bien mélanger. Laisser refroidir et déguster.

PISTES HARMONIQUES DES LIQUIDES

La rencontre curry et sauce soya est tellement « prenante » que les choix proposés à la recette précédente sont de mise (bière brune, vin blanc boisé ou mature à base de roussanne, vin jaune du Jura), mais les cuvées les plus riches parmi ces suggestions sont à prescrire.

CURRY/ÉRABLE/CITROUILLE

 # GRAINES DE CITROUILLE GRILLÉES À L'ÉRABLE ET AU CURRY

ASTUCE AROMATIQUE

La rencontre curry-érable est tout simplement unique !

INGRÉDIENTS

500 ml (2 tasses) de graines de citrouille fraîches
30 ml (2 c. à soupe) de sirop d'érable
5 ml (1 c. à thé) de fleur de sel
5 ml (1 c. à thé) de curry en poudre

PRÉPARATION

1. Retirer les graines de la citrouille et les rincer pour enlever tous les filaments et les restes de chair. Assécher complètement et déposer dans un grand saladier.

2. Préchauffer le four à 190 °C (375 °F).

3. Verser le sirop d'érable sur les graines et remuer pour bien les enrober.

4. Disposer les graines uniformément sur une plaque à biscuits préalablement recouverte d'une feuille de papier sulfurisé.

5. Enfourner et cuire 15 à 20 minutes.

6. À la sortie du four, saupoudrer uniformément la fleur de sel et la poudre de curry sur les graines de citrouille. Bien mélanger pour les enrober. Laisser refroidir et déguster.

 ### PISTES HARMONIQUES DES LIQUIDES

Référez-vous aux propositions de la recette précédente, où le duo sauce soya/ curry est présent.

GRAINES DE CITROUILLE GRILLÉES AU SEL ET CURRY

ASTUCE AROMATIQUE

Vous avez compris avec les précédentes recettes, le curry est l'un des ingrédients complémentaires à la citrouille (pour connaître les autres, voir la recette de graines de citrouille grillées au sel).

INGRÉDIENTS

500 ml (2 tasses) de graines de citrouille fraîches
30 ml (2 c. à soupe) d'huile d'olive
15 ml (3 c. à thé) de fleur de sel
5 ml (1 c. à thé) de curry en poudre

PRÉPARATION

1. Retirer les graines de la citrouille et les rincer pour enlever tous les filaments et les restes de chair. Assécher complètement et déposer dans un grand saladier.
2. Préchauffer le four à 190 °C (375 °F).
3. Verser l'huile d'olive sur les graines et remuer pour bien les enrober.
4. Déposer le sel et remuer encore.
5. Disposer uniformément les graines sur une plaque à biscuits préalablement recouverte d'une feuille de papier sulfurisé.
6. Enfourner et cuire 15 à 20 minutes.
7. À la sortie du four, saupoudrer uniformément le curry sur les graines de citrouille. Laisser refroidir et déguster.

ASTUCE DE SERVICE

Vous pouvez les utiliser pour rehausser nos recettes de pesto d'épinards (voir pages 185 à 187).

PISTES HARMONIQUES DES LIQUIDES

Exactement les mêmes propositions qu'à la précédente recette.

BRIE EN CROÛTE ET PARFUM DE CLOU DE GIROFLE

ASTUCE AROMATIQUE

Érable, girofle, sel de céleri, tous sur le même mode aromatique !

INGRÉDIENTS

30 ml (2 c. à soupe) d'huile d'olive

2,5 ml (½ c. à thé) de clou de girofle moulu

2,5 ml (½ c. à thé) de sel de céleri

15 ml (1 c. à soupe) de sirop d'érable

1 roue de brie

200 g (7 oz) de pâte feuilletée

1 jaune d'œuf battu

PRÉPARATION

1. Préchauffer le four à 180 °C (350 °F).
2. **Préparer l'huile parfumée.** Dans un petit bol, mettre l'huile d'olive et les épices, puis ajouter le sirop d'érable.
3. Tailler le brie en deux moitiés dans le sens de l'épaisseur.
4. Étaler la pâte sur un plan de travail fariné en formant un disque. Déposer la première moitié du brie au centre du disque, verser le mélange d'huile épicée et y poser la deuxième moitié.
5. Envelopper le brie dans la pâte en scellant les bords avec le jaune d'œuf battu.
6. Retourner le brie et le déposer sur une tôle à biscuits. Badigeonner toute la surface avec le reste de la dorure et enfourner durant une vingtaine de minutes, ou jusqu'à ce que la pâte soit bien dorée.
7. Sortir du four et laisser reposer quelques minutes avant de déguster.

PISTES HARMONIQUES DES LIQUIDES

Du sur-mesure pour une bière brune extraforte, tout comme pour un porto tawny, sans oublier un vin blanc sec passablement évolué, ce qui inclut le vin jaune du Jura. Mais n'hésitez pas à servir un rouge de région chaude, élevé en fûts de chêne, car je vous rappelle que le girofle est l'épice de la barrique !

PETITS-DÉJEUNERS ET BRUNCH

LAIT DE POULE, CANNELLE ET RHUM BRUN

ASTUCE AROMATIQUE

Multiples sont les variations possibles avec le classique lait de poule. Nous vous en proposons quatre, sur des chemins aromatiques divers, dont celle-ci où la cannelle et le rhum brun entrent en synergie.

INGRÉDIENTS

6 œufs très frais
125 g (½ tasse) de sucre blanc
100 g (½ tasse) de cassonade
10 ml (2 c. à thé) de cannelle moulue
1 litre (4 tasses) de lait 3,25 %
185 ml (¾ tasse) de crème 35 %
60 ml (¼ tasse) de rhum brun

PRÉPARATION

1. **La veille.** Dans un grand bol, mélanger au fouet les œufs, le sucre, la cassonade et la cannelle, jusqu'à ce que le mélange blanchisse.
2. Verser le lait, la crème et le rhum. Mélanger de nouveau. Réserver au réfrigérateur pour la nuit.
3. **Le lendemain.** Fouetter pour homogénéiser le mélange et servir très frais.

 # LAIT DE POULE, CLOU DE GIROFLE ET WHISKY

ASTUCE AROMATIQUE

Multiples sont les variations possibles avec le classique lait de poule. Nous vous en proposons quatre, sur des chemins aromatiques divers, dont celle-ci où le girofle et le whisky entrent en synergie.

INGRÉDIENTS

6 œufs très frais
125 g (½ tasse) de sucre blanc
100 g (½ tasse) de cassonade
1,25 ml (¼ c. à thé) de clou de girofle moulu
1 litre (4 tasses) de lait 3,25 %
185 ml (¾ tasse) de crème 35 %
60 ml (¼ tasse) de whisky

PRÉPARATION

1. **La veille.** Dans un grand bol, mélanger au fouet les œufs, le sucre, la cassonade et le clou de girofle, jusqu'à ce que le mélange blanchisse.
2. Verser le lait, la crème et le whisky. Mélanger de nouveau. Réserver au réfrigérateur pour la nuit.
3. **Le lendemain.** Fouetter pour homogénéiser le mélange et servir très frais.

MUSCADE/BOURBON

LAIT DE POULE, MUSCADE ET BOURBON

ASTUCE AROMATIQUE

Multiples sont les variations possibles avec le classique lait de poule. Nous vous en proposons quatre, sur des chemins aromatiques divers, dont celle-ci où la muscade et le bourbon entrent en synergie.

INGRÉDIENTS

6 œufs très frais
1 litre (4 tasses) de lait 3,25 %
125 g (½ tasse) de sucre blanc
100 g (½ tasse) de cassonade
7,5 ml (½ c. à thé) de muscade fraîchement râpée
185 ml (¾ tasse) de crème 35 %
60 ml (¼ tasse) de bourbon

PRÉPARATION

1. **La veille.** Dans un grand bol, mélanger au fouet les œufs, le sucre, la cassonade et la muscade, jusqu'à ce que votre mélange blanchisse.
2. Verser le lait, la crème et le bourbon. Mélanger de nouveau. Réserver au réfrigérateur pour la nuit.
3. **Le lendemain.** Fouetter pour homogénéiser le mélange et servir très frais.

VANILLE/NOIX DE COCO/RHUM BRUN

LAIT DE POULE VANILLE, NOIX DE COCO ET RHUM BRUN

ASTUCE AROMATIQUE

Multiples sont les variations possibles avec le classique lait de poule. Nous vous en proposons quatre styles, sur des chemins aromatiques divers, dont celui-ci où la vanille, la noix de coco et le rhum brun entrent en synergie.

INGRÉDIENTS

6 œufs très frais

125 g (½ tasse) de sucre blanc

100 g (½ tasse) de cassonade

1 gousse de vanille, graines raclées

3/4 litre (3 tasses) de lait 3,25 %

250 ml (1 tasse) de lait de coco

185 ml (¾ tasse) de crème 35 %

60 ml (¼ tasse) de rhum brun

PRÉPARATION

1. **La veille.** Dans un grand bol, mélanger au fouet les œufs, le sucre, la cassonade et les graines de vanille, jusqu'à ce que votre mélange blanchisse.
2. Verser le lait, le lait de coco, la crème et le rhum. Mélanger de nouveau. Réserver au réfrigérateur pour la nuit en ajoutant la gousse de vanille à infuser.
3. **Le lendemain.** Fouetter pour homogénéiser le mélange et servir très frais.

ANANAS/ROMARIN

MUFFINS À L'ANANAS ET ROMARIN

ASTUCE AROMATIQUE

Vous avez compris qu'avec les pistes aromatiques tracées dans mon ouvrage *Papilles et Molécules*, multiples sont les variations de muffins où la synergie aromatique entre les ingrédients opère. Ici, nous sommes partis sur les chemins de l'ananas, où l'on rencontre, entre autres, le romarin.

INGRÉDIENTS

320 g (3 tasses) de farine blanche

110 g (½ tasse) de sucre

10 ml (2 c. à thé) de poudre à lever

1 pincée de sel fin

120 g (½ tasse) de beurre, en pommade

2 œufs

260 g (1 tasse) de yogourt au citron

15 ml (1 c. à soupe) de romarin frais haché

125 g (1 tasse) d'ananas en dés

PRÉPARATION

1. Préchauffer le four à 190 °C (375 °F).
2. Tamiser ensemble la farine, le sucre, la poudre à lever et le sel, puis déposer dans le bol d'un mélangeur.
3. Ajouter le beurre, les œufs, le yogourt et le romarin haché.

4. Mélanger au fouet jusqu'à ce que le mélange soit lisse et homogène.

5. Ajouter l'ananas à la spatule.

6. Graisser des moules à muffins et y répartir la pâte.

7. Déposer au milieu du four et cuire. Le temps de cuisson varie selon la taille des moules.

8. Les muffins sont cuits lorsque la pointe d'un couteau en ressort sèche.

PISTES HARMONIQUES DES LIQUIDES

Pas de verre de lait ici – à moins de l'aromatiser au romarin! Mais osez un café du Bédouin parfumé à la cardamome (même famille que le romarin). Comme le romarin domine en parfum l'ananas, servez aussi un vin doux naturel de muscat, un riesling vendange tardive ou un gewurztraminer. Tous trois sont aussi terpéniques que le romarin.

ABRICOT/MIEL/PACANES

 # MUFFINS AUX ABRICOTS SECS

ASTUCE AROMATIQUE

L'abricot partage avec la pacane et le miel quelques composés volatils qui, lorsque ces aliments sont réunis, créent une forte synergie aromatique. La pêche, la noix de coco et le scotch sont aussi sur cette piste. Donc, à vous de remplacer certains ingrédients avec ces derniers, si vous le souhaitez.

INGRÉDIENTS

320 g (3 tasses) de farine blanche
10 ml (2 c. à thé) de poudre à lever
1 pincée de sel
100 g (½ tasse) de beurre, en pommade
2 œufs
260 g (1 tasse) de yogourt nature
170 g (½ tasse) de miel
120 g (½ tasse) d'abricots secs en dés
60 g (½ tasse) de pacanes concassées grossièrement

PRÉPARATION

1. Préchauffer le four à 190 °C (375 °F).

2. Tamiser ensemble la farine, la poudre à lever et le sel, puis déposer dans le bol d'un mélangeur.

3. Ajouter le beurre, les œufs, le yogourt et le miel.

4. Mélanger au fouet jusqu'à ce que le mélange soit lisse et homogène.

5. Incorporer les abricots et les pacanes au mélange avec une spatule.

6. Graisser des moules à muffins et y répartir la pâte.

7. Déposer au milieu du four et cuire. Le temps de cuisson varie selon la taille des moules.

8. Les muffins sont cuits lorsque la pointe d'un couteau en ressort sèche.

PISTES HARMONIQUES DES LIQUIDES

Un verre de lait, moitié lait de coco, vibre fort ici! Tout comme un capucino monté avec du lait de coco. Bon, vous voulez du vin? Qu'à cela ne tienne. Servez-vous un liquoreux élevé en barriques – le chêne partage aussi les mêmes composés que les ingrédients de cette recette –, comme un sauternes et ses appellations voisines, et moins onéreuses...

GINGEMBRE/YOGOURT AU CITRON/ZESTES D'AGRUMES

MUFFINS AUX ZESTES D'AGRUMES

ASTUCE AROMATIQUE

La rencontre gingembre et agrumes résonne avec fraîcheur. À vous de la jouer dans vos desserts comme dans vos plats salés.

INGRÉDIENTS

320 g (3 tasses) de farine blanche
170 g (½ tasse) de sucre
10 ml (2 c. à thé) de poudre à lever
1 pincée de sel
120 g (½ tasse) de beurre, en pommade
260 g (1 tasse) de yogourt au citron
2 œufs
15 ml (1 c. à soupe) de zestes d'orange
7,5 ml (½ c. à soupe) de zestes de pamplemousse
15 ml (1 c. à soupe) de gingembre frais râpé

PRÉPARATION

1. Préchauffer le four à 190 °C (375 °F).

2. Tamiser ensemble la farine, le sucre, la poudre à lever et le sel, puis déposer le mélange dans le bol du mélangeur.

3. Ajouter le beurre, les œufs, le yogourt nature et le gingembre.

4. Mélanger au fouet jusqu'à ce que le mélange soit lisse et homogène.

5. Incorporer les zestes d'agrumes au mélange avec une spatule.

6. Graisser des moules à muffins et y répartir la pâte.

7. Déposer au milieu du four et cuire. Le temps de cuisson varie selon la taille des moules.

8. Les muffins sont cuits lorsque la pointe d'un couteau en ressort sèche.

PISTES HARMONIQUES DES LIQUIDES

Comme nous sommes ici sur la piste du gingembre et de ses aliments complémentaires, servez soit un thé vert, soit un thé à la menthe, ou encore une verveine. Tous trois partagent le profil aromatique du gingembre. Ce qui est aussi le cas des vins doux naturels de muscat.

BLEUET/GINGEMBRE

MUFFINS AUX BLEUETS ET GINGEMBRE

ASTUCE AROMATIQUE

Lorsque l'on analyse les composés volatils signant l'identité du plus que québécois bleuet, on trouve des arômes de même famille que le gingembre, et que le thé vert. À vous d'ajouter du thé vert dans ces muffins, comme nous vous le proposons dans la recette suivante, ou de les servir accompagnés d'un thé sencha bien chaud !

INGRÉDIENTS

320 g (3 tasses) de farine blanche
110 g (½ tasse) de sucre
10 ml (2 c. à thé) de poudre à lever
1 pincée de sel
120 g (½ tasse) de beurre, en pommade
2 œufs
260 g (1 tasse) de yogourt au citron
15 ml (1 c. à soupe) de gingembre frais râpé
100 g (1 tasse) de bleuets frais

PRÉPARATION

1. Préchauffer le four à 190 °C (375 °F).
2. Tamiser ensemble la farine, le sucre, la poudre à lever et le sel, puis déposer le mélange dans le bol d'un mélangeur.
3. Ajouter le beurre, les œufs, le yogourt et le gingembre.
4. Mélanger au fouet jusqu'à ce que le mélange soit lisse et homogène.
5. Incorporer les bleuets au mélange à l'aide d'une spatule.
6. Graisser des moules à muffins et y répartir la pâte.
7. Déposer au milieu du four et cuire. Le temps de cuisson varie selon la taille des moules.
8. Les muffins sont cuits lorsque la pointe d'un couteau en ressort sèche.

PISTES HARMONIQUES DES LIQUIDES

Un lait de soya parfumé au gingembre résonne fort ici, parce que le soya est aussi au nombre des aliments complémentaires à notre bleuet national. Mais n'oubliez pas le thé vert sencha, tout comme les vins liquoreux du cépage black muscat.

MUFFINS AU THÉ VERT ET BLEUETS

ASTUCE AROMATIQUE

Thé vert et bleuet sont intimement liés par certains composés aromatiques, tout comme par certains principes actifs vous protégeant de la mort cellulaire... Plaisirs aromatiques et santé sont donc compatibles !

INGRÉDIENTS

320 g (3 tasses) de farine blanche

5 ml (1 c. à thé) de thé matcha en poudre

10 ml (2 c. à thé) de poudre à lever

120 g (½ tasse) de sucre

1 pincée de sel

100 g (½ tasse) de beurre, en pommade

2 œufs

260 g (1 tasse) de yogourt au citron

15 ml (1 c. à soupe) de gingembre frais râpé

100 g (1 tasse) de bleuets frais

PRÉPARATION

1. Préchauffer le four à 190 °C (375 °F).
2. Tamiser ensemble la farine, le thé matcha, la poudre à lever, le sucre et le sel, puis déposer le mélange dans le bol d'un mélangeur.
3. Ajouter le beurre, les œufs, le yogourt et le gingembre.
4. Mélanger au fouet jusqu'à ce que le mélange soit lisse et homogène.
5. Incorporer les bleuets au mélange à l'aide d'une spatule.
6. Graisser des moules à muffins et y répartir la pâte.
7. Déposer au milieu du four et cuire. Le temps de cuisson varie selon la taille des moules.
8. Les muffins sont cuits lorsque la pointe d'un couteau en ressort sèche.

PISTES HARMONIQUES DES LIQUIDES

Mêmes suggestions que pour nos muffins aux bleuets et gingembre de la précédente recette.

MUFFINS AUX FRAISES ET POIVRE DU SICHUAN

ASTUCE AROMATIQUE

Comme les épices sont trop rarement utilisées dans les muffins, nous sommes donc partis sur la piste de l'électrisant poivre du Sichuan, de même famille que la fraise. Puis nous y avons ajouté un soupçon de cannelle, mais vraiment en toute subtilité, afin que la cannelle y soit uniquement pour sa qualité d'exhausteur de saveurs. Elle a cette capacité de disparaître de l'avant-scène pour faire valoir les autres. Mais seulement si vous avez la retenue qu'il faut en cuisine... sinon elle fait rapidement un Pavaroti d'elle-même!

INGRÉDIENTS

320 g (3 tasses) de farine blanche
110 g (½ tasse) de sucre
10 ml (2 c. à thé) de poudre à lever
1 pincée de sel
120 g (½ tasse) de beurre, en pommade
2 œufs
260 g (1 tasse) de yogourt nature
5 ml (1 c. à thé) de poivre du Sichuan, concassé
1,25 ml (¼ c. à thé) de cannelle moulue
100 g (1 tasse) de fraises fraîches, en morceaux

PRÉPARATION

1. Préchauffer le four à 190 °C (375 °F).
2. Tamiser ensemble la farine, le sucre, la poudre à lever et le sel, puis déposer le mélange dans le bol d'un mélangeur.
3. Ajouter le beurre, les œufs, le yogourt nature, le poivre du Sichuan et la cannelle.
4. Mélanger au fouet jusqu'à ce que le mélange soit lisse et homogène.
5. Incorporer les fraises au mélange avec une spatule.
6. Graisser des moules à muffins et y répartir la pâte.
7. Déposer au milieu du four et cuire. Le temps de cuisson varie selon la taille des moules.
8. Les muffins sont cuits lorsque la pointe d'un couteau en ressort sèche.

PISTES HARMONIQUES DES LIQUIDES

Pour calmer le piquant électrique du poivre du Sichuan, il faut du sucre. Donc, optez pour un liquoreux voisin de sauternes, comme le sont les vins d'appellations Cadillac, Loupiac et Sainte-Croix-du-Mont, qui sont aussi de même famille aromatique que les trois ingrédients de ce muffin.

PAIN DORÉ À LA NOIX DE MUSCADE

ASTUCE AROMATIQUE

Dans un premier temps, nous vous présentons le pain doré classique aromatisé à la muscade. Dans la recette suivante, vous découvrirez notre version dans laquelle la muscade est remplacée par un mélange d'épices de même famille aromatique : marjolaine, origan, sauge, poivre, cardamome, baies de genièvre, gingembre, curcuma, poivre cubèbe ou zestes d'agrumes. À vous de choisir !

INGRÉDIENTS

2 œufs
1 jaune d'œuf
45 ml (3 c. à soupe) de cassonade
125 ml (½ tasse) de lait 3,25 %
125 ml (½ tasse) crème 35 %
2,5 ml (½ c. à thé) de noix de muscade râpée
Quelques tranches de pain
Noix de beurre

PRÉPARATION

1. Dans un bol, blanchir les œufs et la cassonade. Une fois le mélange bien mousseux, ajouter le lait, la crème et la noix de muscade.
2. Transférer le mélange dans un plat et y tremper les tranches de pain.
3. Dans une poêle antiadhésive, faire dorer les tranches de pain avec une noix de beurre à feu moyen.

ASTUCE DE SERVICE

Cette recette s'accompagne de la marmelade d'orange au basilic (recette dans *Papilles pour tous ! Automne*, page 205).

PISTES HARMONIQUES DES LIQUIDES

Qui dit muscade, dit cidre de glace québécois.

CARDAMOME/CURCUMA/ORANGE

PAIN DORÉ « ÉPICES SPÉCIALES »

ASTUCE AROMATIQUE

Voici notre version sans muscade transformée avec un mélange d'épices spéciales sur la piste de la muscade (voir explication à la précédente recette).

INGRÉDIENTS

2 œufs

1 jaune d'œuf

45 ml (3 c. à soupe) de cassonade

125 ml (½ tasse) de lait 3,25 %

125 ml (½ tasse) crème 35 %

125 ml (½ tasse) de mélange d'épices spéciales pain doré*

Quelques tranches de pain

Noix de beurre

*MÉLANGE D'ÉPICES SPÉCIALES PAIN DORÉ

15 ml (1 c. à soupe) de cardamome verte réduite en poudre

7,5 ml (½ c. à soupe) de curcuma moulu

Zestes d'une demi-orange

PRÉPARATION

1. Dans un bol, blanchir les œufs et la cassonade. Une fois le mélange bien mousseux, ajouter le lait, la crème et les épices spéciales.

2. Transférer le mélange dans un plat et y tremper les tranches de pain.

3. Dans une poêle antiadhésive, faire dorer les tranches de pain avec une noix de beurre à feu moyen.

PISTES HARMONIQUES DES LIQUIDES

Un thé vert sencha, une bière de type india pale ale ou encore, parmi les vins, un jurançon moelleux ou un muscat vin doux naturel.

ANIS ÉTOILÉ/CANNELLE/NOIX DE COCO/VANILLE

 # POMMES AUX ÉPICES CUITES AU FOUR

ASTUCE AROMATIQUE

La cannelle est une amie de la pomme, ce que tous savaient de façon intuitive, la science nous le confirme tout en nous donnant d'autres pistes aromatiques, comme celles de l'anis étoilé, de la vanille et de la noix de coco. D'où l'idée d'utiliser notre Crumble de base à la noix de coco présenté dans *Papilles pour tous ! Automne*.

INGRÉDIENTS

1 orange non traitée

1 gousse de vanille, graines raclées

60 ml (¼ tasse) d'eau

100 g (½ tasse) de cassonade

1 étoile de badiane (anis étoilé)

2 bâtons de cannelle
6 pommes (genre Lobo)

CRUMBLE
100 g (²/₅ tasse) de copeaux de noix de coco, grillés
120 g (½ tasse) de beurre froid, en cubes
100 g (⅞ tasse) de farine blanche
100 g (½ tasse) de cassonade

PRÉPARATION

1. Préchauffer le four à 160 °C (325 °F).

2. À l'aide d'une microplane, prélever le zeste de l'orange et la presser pour en extraire le jus. Réserver.

3. Dans une casserole, verser l'eau et la cassonade. Cuire quelques minutes, puis ajouter l'étoile de badiane, les bâtons de cannelle, la gousse et les graines de vanille, le zeste et le jus d'orange. Mélanger et réserver hors du feu.

4. **Crumble.** Dans le bol d'un robot culinaire, déposer les copeaux de noix de coco grillés, puis réduire en poudre.

5. Ajouter le beurre, la farine et la cassonade, et pulser jusqu'à l'obtention d'une consistance d'un sable à gros grains.

6. Beurrer le fond d'un plat de pyrex allant au four. Déposer les pommes dans le fond et y verser le sirop. Parsemer de crumble à la noix de coco. Recouvrir d'un papier aluminium. Enfourner et cuire pendant 30 minutes.

7. À la fin de la cuisson, remplacer le papier aluminium par une pellicule plastique. La pellicule gonflera pour provoquer une succion et gorger les pommes de sirop.

PISTES HARMONIQUES DES LIQUIDES

La première piste à suivre ici est celle du cidre de glace québécois, qui partage les mêmes composés volatils dominants que la pomme, la cannelle et la noix de coco. Puis tous les vins blancs liquoreux ayant séjourné en barriques de chêne, comme le sauternes, le tokaji aszú, ainsi que certains crus de Jurançon et des Coteaux-du-Layon

ASPERGE VERTE/RIZ SAUVAGE/BŒUF

QUICHE AUX ASPERGES VERTES RÔTIES

ASTUCE AROMATIQUE

Servir avec une salade de riz sauvage (arrosée d'une vinaigrette au café et huile de sésame rôti) ou avec une « mini » salade de bavette de bœuf marinée. Pourquoi? C'est que le riz sauvage et le bœuf grillé sont de la même famille aromatique que les asperges vertes rôties.

INGRÉDIENTS

1 botte d'asperges vertes (environ 250 g/½ lb)
125 ml (½ tasse) de lait 3,25 %
250 ml (1 tasse) de crème 35 %
1 feuille de laurier
Beurre (pour graisser le moule)
1 boule de pâte brisée (recette dans *Papilles pour tous! Automne*, page 173)
2 œufs entiers
2 jaunes d'œufs
Sel de mer, poivre du moulin, muscade

PRÉPARATION

1. Rincer les asperges et retirer la partie fibreuse des tiges. Réserver.
2. Dans une poêle bien chaude, griller les asperges à cru dans 1 c. à soupe d'huile d'olive, jusqu'à ce qu'elles soient bien colorées. Déposer les asperges sur une plaque et réserver.
3. Dans une casserole, verser le lait et la crème, et amener à ébullition. Saler et ajouter la feuille de laurier et les asperges rôties. Cuire 4 minutes à feu doux.
4. Dans un mélangeur, verser la préparation avec les asperges et réduire en purée. Réserver.
5. Préchauffer le four à 180 °C (350 °F).
6. Beurrer un moule à quiche.
7. Étaler la pâte brisée, puis l'abaisser dans le moule à quiche. À l'aide d'une fourchette, piquer le fond de la pâte pour l'empêcher de gonfler. Enfourner et précuire 10 minutes.
8. Dans un bol à mélanger, déposer les œufs et les jaunes et verser le mélange de crème et d'asperges rôties. Bien mélanger, puis assaisonner de sel et de poivre, et râper un peu de muscade à l'aide d'une microplane.
9. Remuer sans cesse en versant le mélange à quiche sur la pâte. Enfourner à l'étage le plus bas du four et cuire de 25 à 30 minutes*.

*Pour vérifier la cuisson, insérer la pointe d'un couteau au centre de la quiche et si elle en ressort propre, la quiche est cuite à point.

PISTES HARMONIQUES DES LIQUIDES

La piste du grillé des asperges vertes permet ici de servir un vin rouge sur une quiche, surtout si vous renforcez cette synergie aromatique en l'accompagnant de riz sauvage ou d'une salade de bœuf mariné. Vous pouvez ainsi servir des rouges à base de merlot, de cabernet franc, de cabernet sauvignon ou de malbec. En blanc, optez pour un fumé blanc élevé en barriques de chêne.

SMOOTHIES *PAPILLES*!

ASTUCE AROMATIQUE

Le smoothie est une recette parfaite pour s'amuser avec les différentes pistes aromatiques des aliments. Voici quelques versions autour du gingembre, de l'abricot, de la pomme et de l'érable. Tous les ingrédients de ces smoothies appartiennent à la même famille aromatique». Ainsi le litchi, le gingembre et l'eau de rose sont dominés par des composés aromatiques parents, créant la synergie aromatique recherchée.

INGRÉDIENTS DE BASE POUR UN SMOOTHIE

125 ml (½ tasse) de yogourt nature (ou tofu mou)
125 ml (½ tasse) de lait 3,25 %

PRÉPARATION

1. Dans le bol d'un mélangeur, verser les ingrédients de base et ceux de la formule que vous aurez choisie*. Mélanger jusqu'à ce que la texture soit bien lisse. Servir dans de grands verres préalablement refroidis au congélateur.

*Pour obtenir une texture lisse et un savoureux rafraîchissement, il est préférable de choisir des fruits coupés en morceaux, puis congelés. Si vous le désirez, vous pouvez remplacer le yogourt par la même quantité de tofu mou.

SMOOTHIE LITCHI, GINGEMBRE ET EAU DE ROSE

INGRÉDIENTS

500 ml (2 tasses) de litchis
60 ml (¼ tasse) d'eau de rose
185 ml (¾ tasse) de jus de pamplemousse
22,5 ml (1 ½ c. à soupe) de gingembre frais, râpé

SMOOTHIE ABRICOT, PÊCHE ET NOIX DE COCO

INGRÉDIENTS

200 ml (1 tasse) d'abricot
200 ml (1 tasse) de pêche
125 ml (½ tasse) de lait de coco
125 ml (½ tasse) de jus de raisin muscat

SMOOTHIE POMME GOLDEN ET SAFRAN

INGRÉDIENTS

500 ml (2 tasses) de pommes jaunes Golden
250 ml (1 tasse) de jus de pomme
2,5 ml (½ c. à thé) de pistils de safran

SMOOTHIE ÉRABLE, CURRY ET AMANDES GRILLÉES

INGRÉDIENTS

250 ml (1 tasse) de lait d'amandes
125 ml (½ tasse) de sirop d'érable
60 g (½ tasse) d'amandes grillées, concassées

GRAINE DE CORIANDRE/ORANGE

TARTE RENVERSÉE D'ENDIVES CARAMÉLISÉES À L'ORANGE

ASTUCE AROMATIQUE

Ici, nous nous sommes amusés, Stéphane et moi, à travestir l'endive par la domination des graines de coriandre et de l'orange, toutes deux de la même famille, puis à jongler avec l'idée d'une tarte « renversée ». Si vous ne suivez pas la piste coriandre/orange, suivez celle de l'endive en jouant plutôt avec la cerise, les noix et le roquefort, qui sont les pistes aromatiques de l'endive. Tous les chemins mènent à Rome, mais encore faut-il prendre le bon !

INGRÉDIENTS

10 endives
75 g (⅓ tasse) de beurre
82,5 ml (⅓ tasse) de miel
5 ml (1 c. à thé) de graines de coriandre, torréfiées et concassées
125 ml (½ tasse) de jus d'orange
Sel
1 rond de pâte feuilletée

PRÉPARATION

1. Préchauffer le four à 180 °C (350 °F).
2. **Endives**. Les tailler en deux dans le sens de la longueur. Dans une poêle antiadhésive, les faire colorer sur toutes les faces avec une noix de beurre. Saler et ajouter le miel, les graines de coriandre et le jus d'orange. Faire réduire presque à sec. Réserver.

3. Beurrer un moule à manqué, mettre une feuille de papier sulfurisé dans le fond et ranger les endives les unes contre les autres en serrant le plus possible.

4. Étaler la pâte sur le dessus et mettre au four de 20 à 25 minutes. Laisser tiédir 10 minutes avant de retourner la tarte sur une assiette de service.

5. Déguster aussitôt.

PISTES HARMONIQUES DES LIQUIDES

Tous les types de riesling sont vos alliés, de même que la bière india pale ale, sans oublier les thés blancs, plus particulièrement le très typé « riesling » Bai Hao Yin Zhen 2011 de Chine.

SÉSAME GRILLÉ/CORIANDRE FRAÎCHE/POMME VERTE

TARTINADE DE CHOCOLAT BLANC À L'HUILE DE SÉSAME ET À L'HUILE D'OLIVE

ASTUCE AROMATIQUE

Il faut savoir que plusieurs ingrédients partagent le profil aromatique dominant du chocolat blanc, notamment le sésame grillé et l'huile d'olive. Mais il y a aussi le sirop d'érable et les noix grillées, comme nous vous le proposons dans l'autre variante de tartinade (voir recette, page 211).

INGRÉDIENTS

90 g (³/₈ tasse) de pistoles de chocolat blanc
2,5 ml (½ c. à thé) d'huile de sésame grillé
22,5 ml (1 ½ c. à soupe) d'huile d'olive
60 ml (4 c. à soupe) de crème 35 %

PRÉPARATION

1. Dans un saladier en métal, déposer les pistoles de chocolat blanc. Recouvrir avec l'huile de sésame et l'huile d'olive.

2. Dans un bain-marie, laisser fondre le chocolat à feu très doux. Dès que les pistoles sont fondues, remuer lentement à l'aide d'une spatule de bois pour bien incorporer le chocolat aux huiles.

3. À l'aide d'un fouet, incorporer la crème en remuant constamment afin d'obtenir une préparation lisse et homogène. Verser dans un contenant hermétique. Laisser refroidir, puis couvrir.

ASTUCES DE SERVICE

Il est possible d'ajouter, au moment du service, de la coriandre fraîche ou des copeaux de pomme verte, tous deux sur la même piste aromatique que le chocolat blanc.

Les sauternes et leurs appellations voisines, telles que Cadillac, Loupiac et Sainte-Croix-du-Mont sont à privilégier. Par contre, si vous ajoutez, comme nous vous le proposons, de la coriandre fraîche et de la pomme verte, il faut alors opter pour un pur sauvignon blanc vendange tardive ou pour un riesling auslese.

NOIX GRILLÉE/SÉSAME GRILLÉ/SIROP D'ÉRABLE

 # TARTINADE DE CHOCOLAT BLANC CARAMÉLISÉ AU SIROP D'ÉRABLE ET À L'HUILE DE SÉSAME

ASTUCE AROMATIQUE

Comme le chocolat blanc est ici caramélisé, contrairement à notre précédente variation (voir recette, page précédente), prenant ainsi une nouvelle direction aromatique, il est maintenant possible d'y ajouter du sirop d'érable et des noix grillées ou de tartiner le tout sur un pain aux noix grillé !

INGRÉDIENTS

225 g (½ lb) de pistoles de chocolat blanc
125 ml (½ tasse) de lait 3,25 %
60 ml (¼ tasse) de sirop d'érable
5 ml (1 c. à thé) d'huile de sésame

PRÉPARATION

1. Préchauffer le four à 120 °C (250 °F).
2. Déposer une toile Silpat®* sur une plaque à biscuits, puis y disposer les pistoles de chocolat blanc.
3. Toutes les 10 minutes, sortir la plaque du four et mélanger le chocolat blanc à l'aide d'une spatule. Répéter l'opération jusqu'à ce que le chocolat prenne une belle couleur dorée et que sa texture soit lisse.
4. Dans une casserole, faire tiédir le lait. À l'aide d'un fouet, incorporer le chocolat caramélisé au lait. Ajouter le sirop d'érable et l'huile de sésame. Fouetter jusqu'à ce que le mélange soit lisse et homogène. Verser dans un contenant hermétique et laisser refroidir. Couvrir et réserver.

 *La toile Silpat® est une toile pâtissière antiadhérente recouverte de silicone.

PISTES HARMONIQUES DES LIQUIDES

Si vous ajoutez une poignée de noix grillées, servez un vin santo, un tokaji aszú, un xérès oloroso ou encore une bière brune à haut degré d'alcool.

Index des principaux aliments complémentaires

CARNET DE NOTES PERSONNELLES

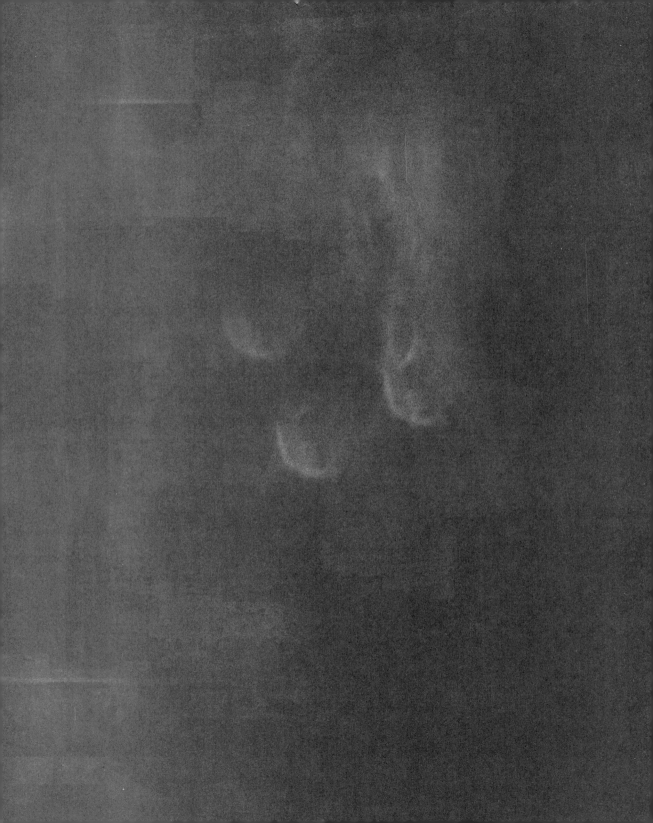